LEBEN
DAS TÄGLICHE WUNDER

Von Gerald Ames und Rose Wyler
Illustrationen von Charles Harper
Deutsche Fassung
von Hans Joachim Conert

DELPHIN
VERLAG

Alle deutschen Rechte vorbehalten. Delphin Verlag, Stuttgart und Zürich, 1973.
ISBN 3.7735.4002.7 / Verlagsnummer 750-4002.
Umschlaggestaltung Cosma Verlagsmarketing, Stuttgart.
Printed in Yugoslavia

Inhalt

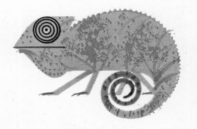

Einleitung

Kein Zweig der Naturwissenschaften hat so unmittelbar mit dem Menschen zu tun wie die Biologie, die Lehre vom Leben. Sie beschäftigt sich mit jeglicher Art von Lebensäusserungen bei Pflanze, Tier und Mensch und versucht, ihre Erkenntnisse in allgemeingültige Regeln und Gesetze zu fassen, denen auch die Menschheit unterworfen ist.

Die biologischen Feststellungen und Tatsachen widersprechen jedoch weitgehend den Vorstellungen des modernen Menschen von sich selbst, denn er lebt seit langem in dem falschen Bewusstsein, Herr der Erde zu sein und die Natur überwunden zu haben. Die

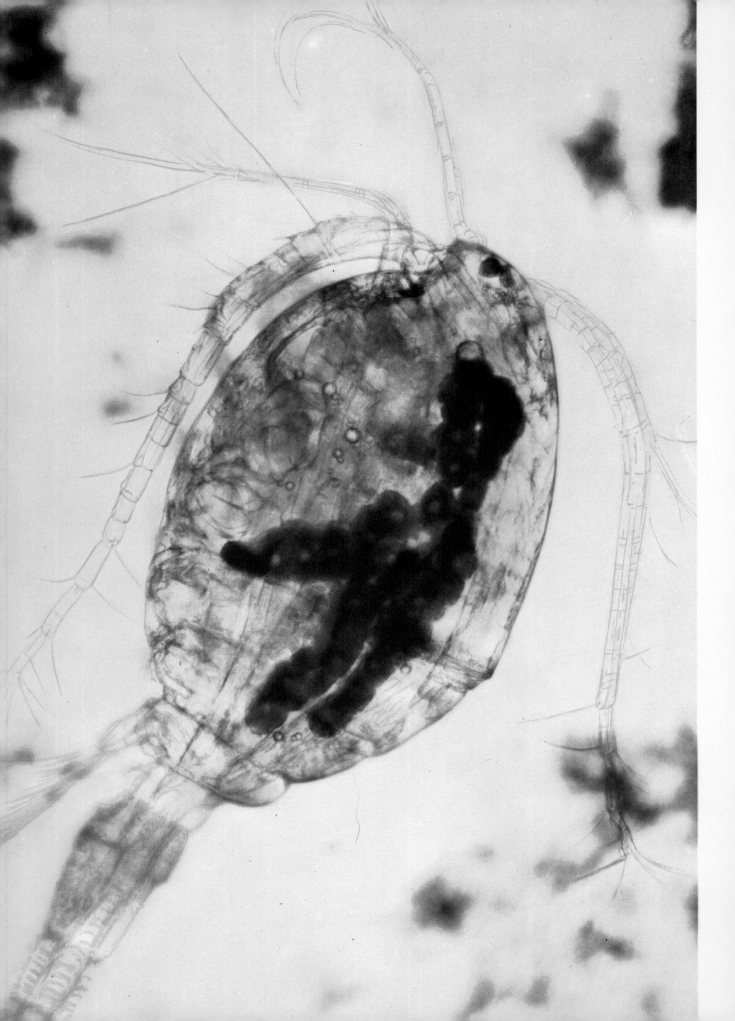

Ergebnisse dieser geistigen Fehlhaltung sind überall zu beobachten, in den Ländern der Dritten Welt genauso wie in den technischen Zivilisationen Nordamerikas und Westeuropas. Das ungeheure Anwachsen der Bevölkerung in den Entwicklungsländern der südlichen Halbkugel bedeutet für Millionen von Menschen ständigen Hunger und menschenunwürdige Lebensverhältnisse. Dagegen haben der Überfluss und die sinnlose Verschwendung in den hoch industrialisierten Ländern des Nordens zur Folge, dass dort das Leben der Menschen durch verschmutzte Luft, verseuchte Nahrungsmittel und vergiftetes Wasser bedroht wird.

Niemand hat bisher einen Ausweg aus dieser Krise gefunden, aber eines ist gewiss: nicht der Fortschritt in Technik und Industrie kann aus dieser Sackgasse herausführen, sondern nur ein Fortschritt im Denken und Wissen.

Die Herkunft des Menschen aus der Natur, seine Entwicklung während der letzten zwei Millionen Jahre, die Grenzen seiner körperlichen Leistungsfähigkeit und die biologischen Gesetze, denen er unterworfen ist, müssen ihm wieder zu Bewusstsein gebracht werden. Dieses Buch will einen Beitrag dazu leisten und in leicht verständlicher Form biologisches Wissen vermitteln. In den einzelnen Kapiteln werden folgende Themenkreise behandelt:

Alles Leben ist an einen Körper gebunden. Die kleinste Einheit des Lebendigen ist die Zelle. Ausserhalb dieser Grundeinheit gibt es keine Form von Leben.

Alle Pflanzen und Tiere bestehen aus Zellen, die Einzeller nur aus einer einzigen, die Vielzeller oft aus einer grossen Zahl, *beim Menschen sind es über 50 Billionen.* Die Entwicklung zu einem solch kompliziert aufgebauten Wesen ist nur durch Arbeitsteilung und Differenzierung der Zellen möglich.

Ohne Sauerstoff gibt es kein Leben. Der auf der Erde vorhandene Sauerstoff wäre schnell verbraucht, wenn ihn die Pflanzen nicht ständig erneuern würden. Sie sind auch die einzigen Lebewesen, die Sonnenenergie speichern können. Aus diesem Grunde bilden sie die Grundnahrung für alles Belebte.

Die Lebewesen können sich an die verschiedensten Umweltbedingungen anpassen. Nur durch diese Fähigkeit konnte sich das Leben über mehr als eine Milliarde Jahre auf der Erde erhalten. Auch heute wird jeder Lebensraum von Pflanzen und Tieren bewohnt.

Alle Lebewesen stammen von Lebewesen gleicher Art. Pflanzen und Tiere vermehren sich durch die Befruchtung einer Eizelle. Auf diese Weise beginnt jedes Lebewesen seine Entwicklung als Einzeller. Jeder heranwachsende Embryo durchläuft in grossen Zügen die Entwicklung, die das ganze Tierreich im Verlauf der Erdgeschichte genommen hat.

Jedes Lebewesen sieht seinen Eltern ähnlich. Es gibt aber geringe Abweichungen in manchen Merkmalen, die in bestimmten Zahlenverhältnissen auftreten.

Die Chromosomen sind die Träger der Vererbung. Bei der Entstehung der männlichen und weiblichen Keimzellen können die Chromosomen verschieden verteilt und bei der Befruchtung neu kombiniert werden. Nur dadurch ist eine Weiterentwicklung des Lebens überhaupt möglich.

Das Tier- und Pflanzenreich hat sich im Laufe der Erdgeschichte entwickelt. Auch *die Entwicklung der heutigen Lebewesen ist noch nicht abgeschlossen,* sie geht aber so langsam vor sich, dass sie vom Menschen während seiner kurzen Lebensdauer nicht festgestellt werden kann.

Eine entscheidende Periode der Erdgeschichte war die Devonzeit — vor etwa 350 Millionen Jahren —, als die Pflanzen und Tiere begannen, ihren bisherigen Lebensraum, das Meer, zu verlassen und das Festland zu erobern. Dabei entstanden Konstruktionen, die besonders bei den Pflanzen zu ganz neuen Formen führten.

Nur der Mensch ist zu bewusstem Handeln fähig, nur er kann logisch denken. Die Handlungen der Tiere werden dagegen vom Instinkt gelenkt; sie zeigen Verhaltensweisen, die von Generation zu Generation vererbt werden. Die Frage nach dem Beginn des Lebens und nach Lebewesen im Weltall haben sich die Menschen seit langer Zeit immer wieder gestellt. Alle Antworten darauf sind nur Theorien, und es ist nicht anzunehmen, dass sie jemals mit Sicherheit gegeben werden können.

Hans Joachim Conert

Das Mikroskop erschliesst eine neue Welt

Vor drei Jahrhunderten hätte es niemand für möglich gehalten, dass winzige, »unsichtbare« Lebewesen in unzähligen Mengen die nächste Umgebung des Menschen bevölkern. Dann kam die Entdeckung des Mikroskops und damit erschloss sich eine neue Welt. Man weiss nicht ganz sicher, wer es erfand, wahrscheinlich hat der Holländer Janssen als erster ein solches Gerät hergestellt. Aber die eigentliche Bedeutung des Mikroskops als Hilfsmittel der Forschung erkannte Anthony van Leeuwenhoeck (1632-1723). Er lebte in dem holländischen Städtchen Delft, war Gemischtwarenhändler und später Kommunalbeamter, hatte also mit Wissenschaft gar nichts zu tun. Aber er beschäftige sich mit dem Schleifen von Linsen, baute Fassungen und betrieb mit selbst zusammengebastelten Mikroskopen wissenschaftliche Studien.

Leeuwenhoecks Geräte wurden immer besser und stärker. Mit ihrer Hilfe entdeckte er Lebewesen, die er »Dierkens« (Tierchen) nannte und genau beschrieb. Die von ihm beobachteten Lebewesen hatte vorher noch niemand gesehen, und fast 200 Jahre mussten wiederum dann noch vergehen, ehe bewiesen wurde, dass Leeuwenhoeks »Dierkens« Bakterien waren.

Das Mikroskop ist seitdem entscheidend verbessert worden; es hat jetzt bekanntlich die Form einer Röhre, die an beiden Enden je eine Linse trägt. Natürlich lassen sich heute ganz andere Vergrösserungen als früher erzielen. Ein modernes Mikroskop arbeitet mit 500 bis 1000fachen Vergrösserungen, bei der Ultraviolett-Mikroskopie mit mehr als den doppelten Werten. Noch sehr viel höhere Leistungen ermöglicht das Elektronenmikroskop. Seine praktische Leistungsgrenze liegt erst bei der Abbildung von einzelnen Riesenmolekülen.

Pflanzen in einem Wassertropfen

Als »Jagdgründe« für den Fang geeigneter Proben sind besonders kleinere Teiche oder Tümpel geeignet, in denen Wasserpflanzen wachsen. Wenn das Wasser grünlich aussieht, ist das besonders günstig, weil die grüne Farbe beweist, dass es dort mikroskopisch kleine Wasserpflanzen gibt. Es empfiehlt sich, einige Flaschen mitzunehmen, mit deren Hilfe verschiedene Wasserproben entnommen werden können.

Mikroorganismen kann man auch an sonstigem Material finden, etwa aus dem Komposthaufen, aus irgendwelchen Abfällen oder sogar aus der Luft. Das hat schon Leeuwenhoek bei seinen Versuchen entdeckt. Er liess mit frischem Regenwasser gefüllte Teller einige Tage stehen und kontrollierte ihren Inhalt in regelmässigen Abständen mit dem Mikroskop. Nach kurzer Zeit stellte er fest, dass sich in dem Wasser zahlreiche winzige Lebewesen befanden, die offensichtlich aus der Luft gekommen waren.

Solche Organismen sind so leicht, dass sie schon ein Windhauch wegbläst. Wenn irgendwo eine Wasserlache oder ein Tümpel eintrocknet, dann müssen seine Bewohner aus dem Reich der Mikroorganismen nicht unbedingt sterben. Viele von ihnen haben die Fähigkeit, in einen Ruhezustand überzugehen, wenn die ihnen gemässen Lebensbedingungen nicht mehr gegeben sind. Sie bilden dann eine Art Schutzhülle und sind gewissermassen scheintot. Der Stoffwechsel hört auf und so wird auch keine Nahrung gebraucht. Nun kann es leicht geschehen, dass ein Windstoss eine grosse Anzahl solcher Mikroorganismen erfasst und eine Strecke mitnimmt. Schliesslich werden manche von ihnen zufällig an einer günstigen Stelle abgesetzt, zum Beispiel in einem nicht eingetrockneten Tümpel. Dann wird das »scheintote« Lebewesen wieder munter.

Solche Mikroorganismen unternehmen oft weite »Reisen«, wenn der Wind sie fortträgt. Im Laufe langer Zeiträume kamen sie praktisch überall hin und so erklärt es sich auch, dass die gleichen Arten auf allen Kontinenten heimisch sind. Ihre auf das Dasein im Meer spezialisierten Verwandten leben nicht minder kosmopolitisch – man kann sie in allen Ozeanen finden.

Unzählbar viele mikroskopisch kleine Pflanzen bevölkern Teiche, Seen, Flüsse und Meere. Oft treten sie in solchen Mengen auf, dass sie das Wasser grün färben. Es lohnt sich, sie einmal genauer zu betrachten.

Winzige Lebewesen im Wassertropfen.

Entnimmt man dem Wasser einen Tropfen und bringt ihn unter das Mikroskop, dann erweist er sich als ein Tummelplatz pflanzlicher Lebewesen. Kugelförmig sind die meisten von ihnen, andere haben die Form eines Zylinders. Eine widerstandsfähige Haut bildet den Schutz dieser Organismen gegen die Aussenwelt, im Innern erweist sich das Material als eine gallertartige, zähflüssige Substanz. Sie enthält kleine Körnchen, die bei manchen Arten grün, bei anderen mehr gelblich oder blaugrün gefärbt sind. Hier handelt es sich um Chlorophyll (Blattgrün), das bekanntlich die Fähigkeit hat, die von der Sonne eingestrahlte Lichtenergie gewissermassen aufzusaugen und in chemische Energie zu verwandeln.

Unter den mikroskopisch kleinen Pflanzen stellen die Kieselalgen oder Diatomeen eine besonders zahlreiche und wichtige Familie dar. Sie lagern in ihre Zellmembran Kieselsäure ein und bauen sich auf diese Weise einen Schutzpanzer auf. Im Meere finden sich diese unendlich vielseitig geformten Algen in sehr grossen Mengen. Ihre Vorgänger aus früheren Erdepochen haben umfangreiche Ablagerungen ihrer Schalen hinterlassen. Aus Form und Ausbildung der Schalen konnten die Wissenschaftler ein System von mehreren tausend Arten dieser winzigen Baumeister ableiten. Übrigens leben die Diatomeen keineswegs nur im Meer, sondern auch im Süsswasser.

Auch die sogenannten Geisseltierchen oder Flagellaten sind für den Freund des Mikroskopierens recht interessante Objekte. Der winzige Organismus besitzt eine »Geissel« in Gestalt eines ungemein zarten Fadens. Er wird rasch bewegt und erzeugt dadurch einen Rückstoss, etwa so, wie es beim Rudern eines Bootes geschieht. Wenn Wassertropfen aus einem Teich unter das Mikroskop gelegt werden, finden sich ziemlich sicher auch Geisseltierchen der Gruppe Euglena. Sie sehen etwa wie eine Spindel aus und zeigen ein Gebilde, das einem gekrausten Faden ähnelt. Es ist die »Geissel«.

Einen Mund besitzt dieses Geisseltierchen nicht, denn es ernährt sich normalerweise nach der Methode der Pflanzen durch Assimilation. Ein rötlich aussehendes, punktförmiges Gebilde befindet sich im Körper dieses Lebewesens. Soviel sich bisher feststellen liess, ist jener »Punkt« lichtempfindlich, auf diese Weise wird also Euglena in gut durchlichtetes Wasser geführt.

Tier oder Pflanze?

Manche Geisseltierchen – sie sind nicht grün gefärbt, sondern farblos – haben eine andere Ernährungsweise als Euglena: sie leben von Nährstoffen, die im Wasser aufgelöst sind. Übrigens verlieren auch die grünen Euglenen ihre Farbe, wenn sie sich längere Zeit im Dunkeln aufhalten. Trotzdem bleiben sie aber am Leben, denn unter solchen Bedingungen tritt an die Stelle der Assimilation eine Aufnahme von Nährstoffen direkt aus dem Wasser. Die »Methodik« der Lebensweise kann also je nach den äusseren Bedingungen gewechselt werden! Es ist überhaupt für die Geisseltierchen typisch, dass sie sozusagen zwischen Tier und Pflanze stehen; bei manchen Angehörigen dieser Gruppe kann man mit Recht fragen, ob es sich um ein Tier oder eine Pflanze handelt. Sämtliche »Methoden« der Ernährungsweise sind hier zu finden: manche Geisseltierchen nehmen organische Substanz durch die Körperfläche auf, andere leben wie alle Pflanzen durch Assimilation und wieder andere fressen geformte Nahrung.

Wimpertierchen

Als Leeuwenhoek Wassertropfen aus einem Teich mit seinem Mikroskop untersuchte, fand er darin winzige Lebewesen mit ovalem Körper und kleinen, ständig bewegten Gebilden, die er »kleine Beinchen« nannte. Offensichtlich hat es sich um Ciliaten oder Wimpertierchen gehandelt, denn auf sie trifft die Beschreibung genau zu. Diese Urtierchen bewegen sich im Wasser mit Hilfe ihrer sehr zahlreichen Wimpern (Cilien) fort. Leeuwenhoek hatte sie für Beine gehalten.

Eine besonders häufige Ciliate ist das Pantoffeltierchen, wissenschaftlich Paramecium gennant. Es hat zahlreiche Wimpern, die ständig auf und ab schlagen; das winzige Gebilde bewegt sich vorwärts und dreht sich gleichzeitig um sich selbst.

Sein Körper zeigt eine typische Einwölbung an einer Körperseite, das sogenannte Mundfeld. Es setzt sich in den sogenannten Mundtrichter fort, der zum Zellmund führt. Die Wimpern strudeln die Nahrung herbei und befördern sie nach innen, dort sorgen andere, ebenfalls wimperähnliche Gebilde (sog. Organellen) dafür, dass die unter anderem als Nahrung dienenden Bakterien nicht wieder herauskommen. Sie gelangen in das Innere der Zelle und werden dort verdaut: unter dem Mikroskop kann man gut beobachten, wie sich die Nahrungspartikel auflösen.

Der Lebenslauf einer Amöbe.
Die Amöbe ist ein kleines einzelliges Tier, das am Grunde von Tümpeln und Seen auf Schlamm und Wasserpflanzen lebt. Es ist keineswegs selten und in den meisten Wasserproben, die man einem solchen Gewässer entnimmt, in grösserer Zahl vorhanden.

Unter dem Mikroskop sieht die Amöbe wie ein fast farbloses Schleimklümpchen aus: das ist der eigentliche »Lebensstoff« Protoplasma, umgeben von einer zarten »Haut«. Sie besteht aus verdichtetem Protoplasma und ist etwas klebrig, was der Amöbe das Festhalten erleichtert. Nehmen wir an, das Tierchen befindet sich auf einem Blatt und beginnt zu »wandern«. Es geschieht auf sehr merkwürdige Weise: die Amöbe bildet sogenannte Scheinfüsschen, das sind lappenartige Fortsätze des Zelleibs, die in der Bewegungsrichtung vorfliessen und dann wieder eingezogen werden. Nun entsteht ein neuer »Fuss« und so bewegt sich das Tierchen vorwärts – mit einer »Geschwindingkeit« von etwa 1 cm pro Stunde, aber dafür ohne Beine und nur mit Hilfe des eigenen Zellinhalts, des Protoplasmas.
Die Beschaffenheit des Protoplasmas ist zähflüssig, schleimig. Diese Eigenschaft rührt von den chemischen Substanzen her, die den eigentlichen Le-

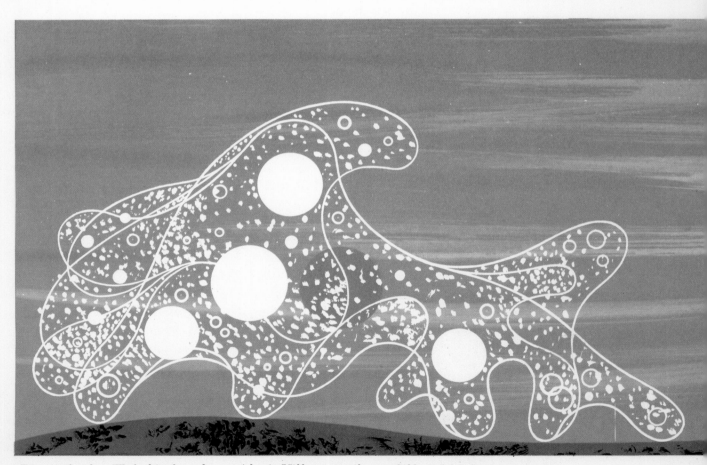

Die Amöbe, das »Wechseltierchen«, bewegt sich mit Hilfe von jeweils neu gebildeten Scheinfüsschen vorwärts.

bensstoff aufbauen. Er enthält fast 90 % Wasser, von dem Rest entfallen zwei Drittel auf die Eiweisse, die Proteine. Sie bilden die entscheidenden Baustoffe der lebenden Substanz.

Die Eiweissstoffe können im Wasser nicht einfach aufgelöst werden, dafür sind sie zu gross. Die Zellen und Gewebe des Organismus enthalten zähflüssige, kolloidale Lösungen, wie der Chemiker sagt. Es handelt sich um eine besondere Verteilungsweise der Stoffe in einer solchen Lösung, die für den Organismus grosse Vorteile hat. Vor allem reagieren solche Lösungen sehr empfindlich auf die geringsten Änderungen im Chemismus der Zelle. Dieser Zustand des »ewig Fliessenden« ist für das Leben ebenso charakteristisch wie die unendliche Vielfalt seiner Baumethoden.

Durch ein kleines Experiment kann man feststellen, wie sich Proteinmoleküle in Wasser verhalten. Man verwendet dazu am einfachsten Gelatine, die ebenfalls einen Eiweisskörper darstellt. Wenn pulverisierte Gelatine mit heissem Wasser vermischt wird, dann entsteht eine Flüssigkeit, die leicht fliesst. Wird sie abgekühlt, so vollzieht sich ein auffallender Wandel: die Lösung

geliert. Anziehungskräfte in den Proteinmolekülen führen dazu, dass sie sich zu langen Ketten vereinigen. Die Ketten verflechten sich miteinander und bilden ein unsichtbares Maschenwerk, in dem das Wasser eingefangen ist. Wir sagen dann, dass die Gelatine stockt. Der Chemiker drückt das natürlich exakter aus: die Gelatine hat sich vom Sol oder dem flüssigen Zustand in ein Gel verwandelt. Das Gel kann man leicht wieder verflüssigen. Dazu genügt es, es zu erwärmen oder zu schütteln. Der kunstvolle Zusammenhang der Proteinketten löst sich auf und es entsteht eine Flüssigkeit. Lässt man sie aber eine Weile stehen, dann verwandelt sie sich wieder in ein Gel. So erklärt sich das Verhalten der Amöbe. Sie bewegt sich mit Hilfe eines ständigen Wechsels im Zustand ihres Protoplasmas zwischen Sol und Gel.

Wenn die Amöbe ihr Protoplasma bei der Bildung von Scheinfüsschen nach aussen fliessen lässt, dann bleibt es trotzdem mit dem übrigen Organismus verbunden. Wie kommt es, dass sich jene Füsschen nicht selbstständig machen? Mit Hilfe einer sehr feinen Glasnadel kann man den Einzeller in der Mitte durchschneiden. Nun berührt sein Protoplasma das Wasser, aber es fliesst nicht aus, weil seine Oberfläche sofort geliert. Dadurch wird eine Art Haut aus erstarrtem Protoplasma gebildet; der gleiche Vorgang vollzieht sich bei den Scheinfüsschen.

Nun, bei diesem Kunststück hilft der Amöbe eine im Wasser ihres Lebensraumes aufgelöste Substanz: das Kalzium. (Es wird vom Wasser ständig aus dem Boden gelöst). Allerdings darf die hauchdünne Schutzhülle nicht zuviel Kalzium enthalten, sonst wird sie zum Panzer, der nicht mehr in den flüssigen Zustand zurückkehrt. Das lässt sich unter dem Mikroskop gut beobachten, wenn man dem Wasser etwas Kalzium beigibt. Die Amöbe wird wie beim vorigen Versuch durchschnitten, nun kann das kalziumhaltige Wasser in die Amöbe eindringen. Sie verkalkt sozusagen, das Protoplasma erstarrt — und das winzige Lebewesen stirbt. Andere im Wasser gelöste Substanzen haben die gegenteilige Wirkung: sie führen dazu, dass sich das Protoplasma verflüssigt. Wenn man beim nächsten »Experiment« dem Wasser etwas Kalium zu-

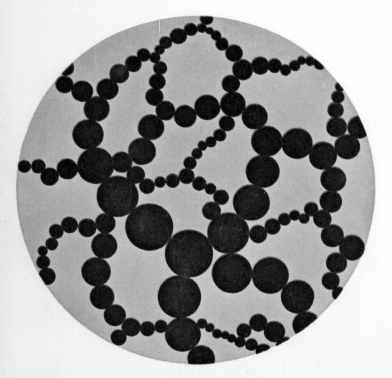

Vernetzung von Proteinketten.

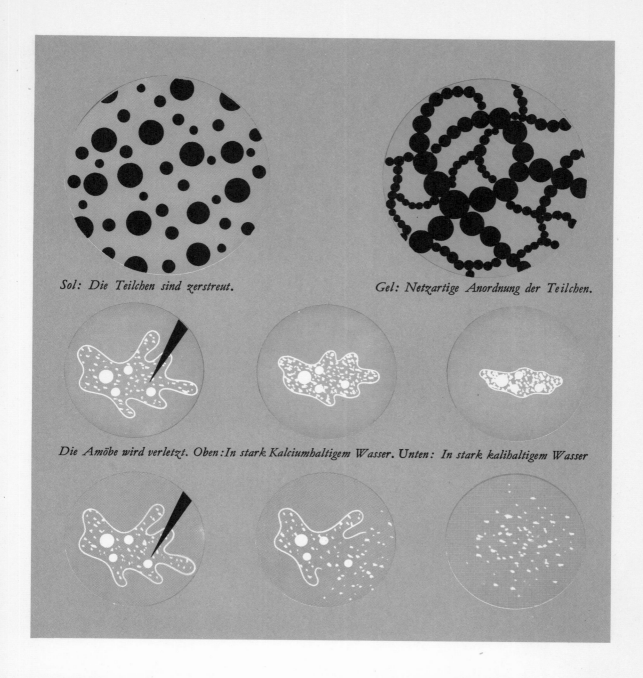

Sol: Die Teilchen sind zerstreut.

Gel: Netzartige Anordnung der Teilchen.

Die Amöbe wird verletzt. Oben: In stark Kalciumhaltigem Wasser. Unten: In stark kalihaltigem Wasser

fügt und wiederum eine Amöbe durchschneidet, dann fliesst ihre Zellflüssigkeit aus und mischt sich mit dem Wasser. Nach kurzer Zeit ist von dem kleinen Lebewesen keine Spur mehr vorhanden. Aber solche »Zwischenfälle« werden unter normalen Lebensbedingungen kaum eintreten. Im Teichwasser ist der Gehalt an Kalium und Kalzium normalerweise so ausgewogen, dass für die Amöben keine Gefahr besteht. Die Bedingungen ihres Lebensraums »passen« der Amöbe, genauer gesagt: sie ist ihnen angepasst.

Vermehrung durch Teilung

Die Amöbe hat keinen Mund, aber sie frisst trotzdem. Wenn ihr eine Beute begegnet, zum Beispiel ein winziges Geisseltierchen, dann kann jede beliebige Stelle ihres Körpers zum »Mund« werden, der seine Nahrung durch Umfliessen verschluckt! Das Geisseltierchen bleibt noch kurze Zeit am Leben, dann aber beginnt es sich aufzulösen und wird verdaut. Ein gut genährtes Wechseltierchen wächst einige Stunden hindurch, vielleicht sogar einen Tag lang weiter, bis es eine bestimmte Grösse erreicht hat. Sie kann nicht überschritten werden, weil sich sonst ein Missverhältnis zwischen Oberfläche und »Rauminhalt« des Tierchens ergeben würde. Das müsste zu einer Störung seines Stoffwechsels führen – sie wird auf sehr einfache Weise verhindert. Wenn die Amöbe »ausgewachsen« ist, dann vermehrt sie sich und zwar ganz einfach durch Teilung: aus einem Lebewesen werden zwei. Der Vorgang nimmt knapp eine Stunde in Anspruch und verläuft in mehreren Stadien. Zunächst zieht die Amöbe ihre Scheinfüsschen ein, dann beginnt in der Mitte ihres Körpers, im Zellkern, die Teilung. Winzige, fadenähnliche Gebilde ordnen sich in der Mitte des Kerns an. Gleichzeitig löst sich die Hülle des Kerns (Zellmembran) auf und nun spaltet sich jeder Faden der Länge nach. Es entstehen also zwei Gruppen von Kernfäden, die auseinandergezogen werden. Nun wird jede der beiden Gruppen von einer neuen Membran umschlossen, sodass sich zwei Zellkerne bilden. Schliesslich teilt sich

die Amöbe in der Mitte durch, die beiden Hälften weichen auseinander – und jede von ihnen ist ein neues Wechseltierchen!

Die Zelle als Baustein

Die winzigen Bewohner des Wassertropfens sehen völlig anders aus, als etwa Pflanzen oder Tiere, deren Anblick uns alltäglich ist. Aber sind die Unterschiede wirklich so gross, wie es den Anschein hat?
Wenn man ein entsprechend dünn geschnittenes Stück von einem Blatt unter das Mikroskop legt, dann sieht man einzelne »Kammern«, von denen jede durch eine Art Zwischenwand von der anderen getrennt ist. Schon vor dreihundert Jahren hat man sie »Zellen« genannt, das heisst »kleine Räume«. Der Ausdruck wurde beibehalten, obwohl man schon längst weiss, dass nicht die Wände und die Zelle selbst das Wesentliche sind, sondern ihr Inhalt. Er besteht aus einer hellen, mehr

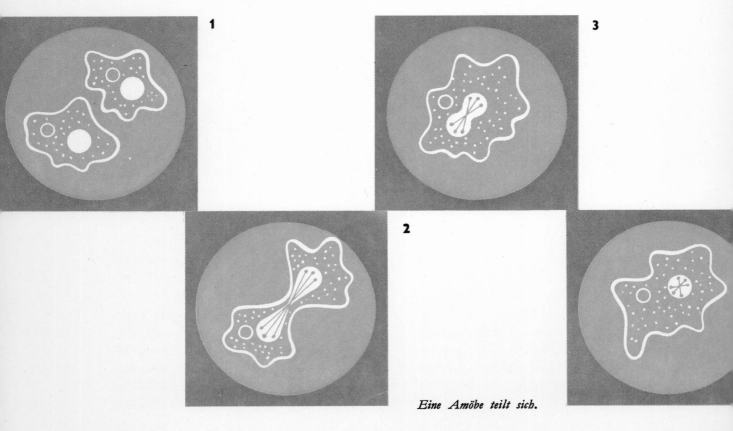

Eine Amöbe teilt sich.

oder weniger zähflüssigen Substanz, dem Plasma, in dem sich der geformte Zellkern befindet. Man kann ihn deutlich erkennen, wenn die Zelle mit einer Substanz behandelt wird, die nur den Kern färbt, den übrigen Zellinhalt dagegen unverändert lässt. Weiter sieht man in der Zelle kleine, meist scheibenförmige Gebilde, in denen sich grüne Farbkörperchen befinden. Es handelt sich um Chlorophyll, also den Stoff, dem die Blätter ihre grüne Farbe verdanken.

Die Zellflüssigkeit und deren Inhalt sind bei den meisten Pflanzen von einer zarten Membran umgeben. Sie ist im Mikroskop erst nach einiger Übung zu erkennen, weil sie sich eng an die Zellwand anschmiegt.

Auch der Körper von Mensch und Tier ist bekanntlich aus Zellen aufgebaut, nur unterscheiden sich diese in einigen Punkten von der Pflanzenzelle. Die tierische Zelle besitzt natürlich kein Blattgrün, sie hat auch keine feste Wand, aber sonst gibt es keinen grundsätzlichen Unterschied. Zweifellos sind beide Zelltypen nach einem durchaus einheitlichen »Plan« aufgebaut.

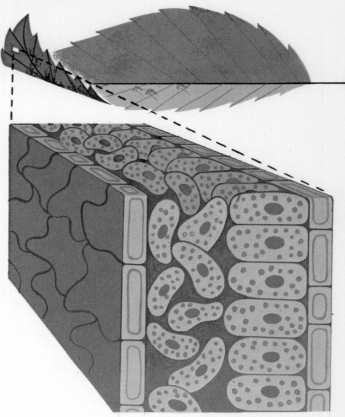

Dieser Schnitt durch ein Blatt zeigt seinen Aufbau durch Zellen.

Eine vielzellige Pflanze: der Baum

Baumwurzeln reichen bekanntlich sehr tief in die Erde, sie verzweigen sich nach allen Richtungen und können daher grosse Wassermengen aufsaugen. Die Wurzelspitzen besitzen zahlreiche mikroskopisch kleine Härchen, welche die Wurzeloberfläche noch ganz erheblich vergrössern. Wenn alle Wurzelhärchen eines grösseren Baumes aufgeschnitten und ausgebreitet würden, dann könnten sie eine Fläche von mehr als einem Hektar bedecken. Die Oberfläche der Wurzeln ist also ausserordentlich gross und das erleichtert selbstverständlich die Wasserversorgung des Baumes.

Mit Hilfe der Wurzelhaare wird das Wasser aufgenommen, es steigt in einem System winziger Kanälchen empor und kommt in die sogenannten Gefässe. Mit ihrer Hilfe wird das Wasser über ganz erhebliche Strecken nach oben befördert. Ein Mammutbaum (Sequoia) zum Beispiel kann eine Höhe von mehr als 100 m erreichen; das ent-

spricht einem Gebäude mit 30 Stockwerken! Aber wie, wird man sich fragen, ist es dem Baum möglich, ohne Hilfe einer Pumpe sein Wasserleitungssystem in Gang zu halten?

Man kennt eine ganze Reihe von Gründen für das Funktionieren der »Wasserleitung« in den Bäumen, aber wirklich geklärt ist dieses Problem noch keineswegs. Offensichtlich sind mehrere Vorgänge, vor allem Druck- und Saugwirkungen, gemeinsam an dem Wassertransport beteiligt. Er vollzieht sich erstaunlich rasch. Die Leitungsgeschwindigkeit wurde zum Beispiel bei Eichen mit 43,6 m pro Stunde gemessen.

Mit dem Wasser werden die aufgelösten Bodensalze sowie Stickstoffverbindungen transportiert. Aber auch das Wasser selbst wird dringend benötigt, es ist ja ein entscheidend wichtiges »Baumaterial« für die Pflanze. In den grünen Blättern werden die Wassermoleküle mithilfe der Sonnen-

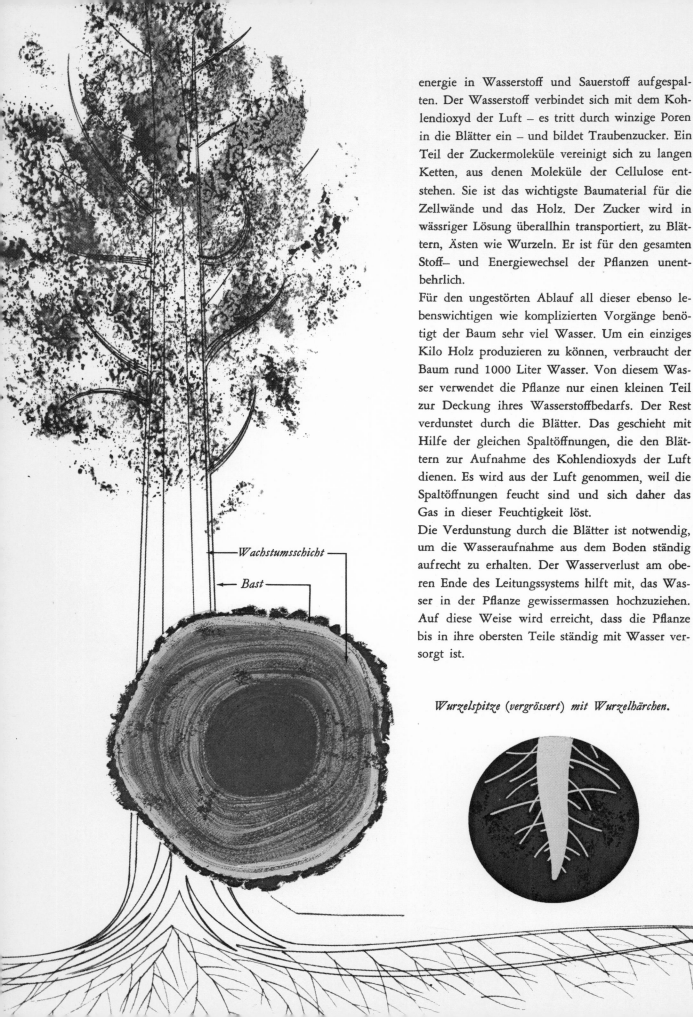

energie in Wasserstoff und Sauerstoff aufgespalten. Der Wasserstoff verbindet sich mit dem Kohlendioxyd der Luft – es tritt durch winzige Poren in die Blätter ein – und bildet Traubenzucker. Ein Teil der Zuckermoleküle vereinigt sich zu langen Ketten, aus denen Moleküle der Cellulose entstehen. Sie ist das wichtigste Baumaterial für die Zellwände und das Holz. Der Zucker wird in wässriger Lösung überallhin transportiert, zu Blättern, Ästen wie Wurzeln. Er ist für den gesamten Stoff– und Energiewechsel der Pflanzen unentbehrlich.

Für den ungestörten Ablauf all dieser ebenso lebenswichtigen wie komplizierten Vorgänge benötigt der Baum sehr viel Wasser. Um ein einziges Kilo Holz produzieren zu können, verbraucht der Baum rund 1000 Liter Wasser. Von diesem Wasser verwendet die Pflanze nur einen kleinen Teil zur Deckung ihres Wasserstoffbedarfs. Der Rest verdunstet durch die Blätter. Das geschieht mit Hilfe der gleichen Spaltöffnungen, die den Blättern zur Aufnahme des Kohlendioxyds der Luft dienen. Es wird aus der Luft genommen, weil die Spaltöffnungen feucht sind und sich daher das Gas in dieser Feuchtigkeit löst.

Die Verdunstung durch die Blätter ist notwendig, um die Wasseraufnahme aus dem Boden ständig aufrecht zu erhalten. Der Wasserverlust am oberen Ende des Leitungssystems hilft mit, das Wasser in der Pflanze gewissermassen hochzuziehen. Auf diese Weise wird erreicht, dass die Pflanze bis in ihre obersten Teile ständig mit Wasser versorgt ist.

Wachstumsschicht

Bast

Wurzelspitze (vergrössert) mit Wurzelhärchen.

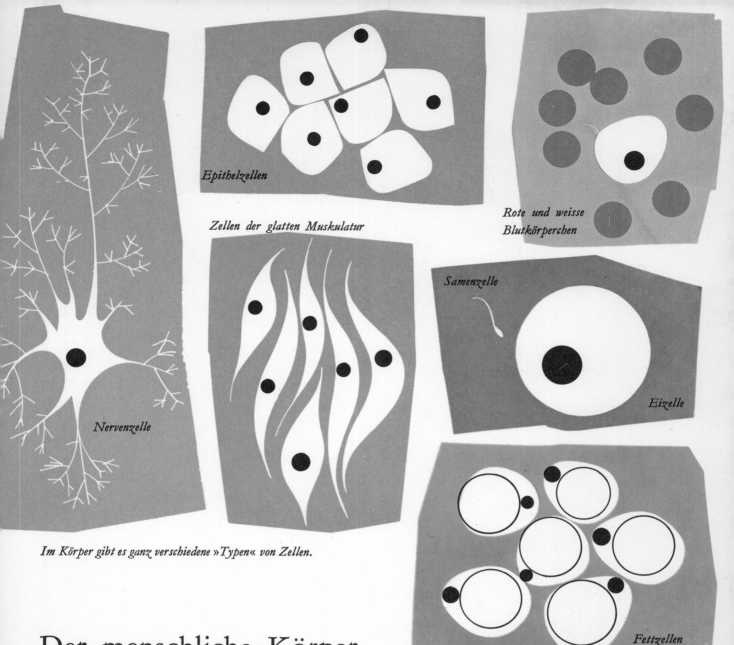

Epithelzellen

Zellen der glatten Muskulatur

Rote und weisse
Blutkörperchen

Samenzelle

Eizelle

Nervenzelle

Fettzellen

Im Körper gibt es ganz verschiedene »Typen« von Zellen.

Der menschliche Körper besteht aus 50 Billionen Zellen

Jeder grössere Organismus besteht aus einer Vielzahl von Zellen, bei unserem eigenen Körper sind es mindestens 50 Billionen. Sie haben verschiedene Aufgaben und sind dementsprechend spezialisiert: etwa für die Bildung der Haut, der Knochen, Muskeln, Drüsen und so weiter. Aus zahlreichen gleichartigen Zellen bestehen die Gewebe, zum Beispiel die Haut. Meist sind die Zellen solcher Gewebe dicht zusammen angeordnet. Sie werden von einer Flüssigkeit durchströmt, mit deren Hilfe ihnen Nährstoffe und der nicht minder lebenswich-

tige Sauerstoff zugeführt werden. Kohlendioxyd und andere »Abfallstoffe« werden abtransportiert. Jede Zelle lebt in der sie umspülenden Flüssigkeit prinzipiell ähnlich wie die Mikroorganismen im Teich oder im Meer. Wird sie richtig ernährt, dann baut die Zelle Protoplasma auf und wächst bis zu einer gewissen Grenze. Sie darf nicht überschritten werden, da sonst die Grenzschicht der Zelle nicht mehr genügend Nahrung und Sauerstoff durchlassen würde. So teilt sich die Zelle nach einiger Zeit wie im Fall der Amöbe in zwei neue

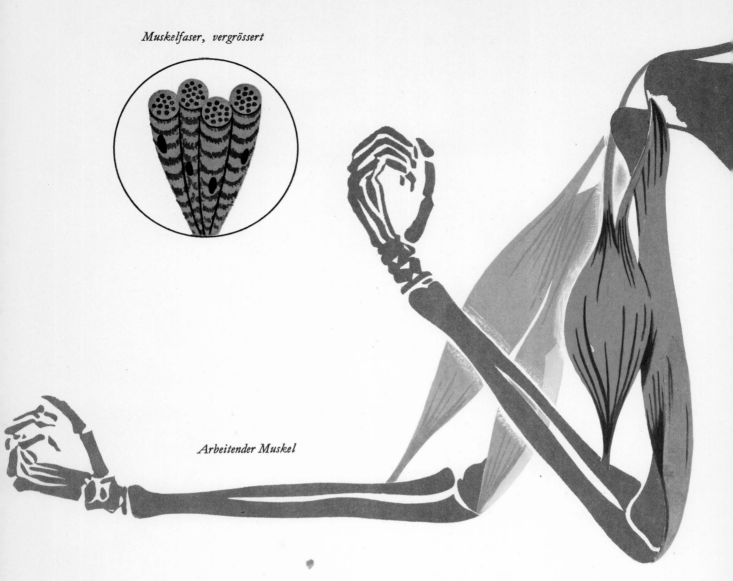

Muskelfaser, vergrössert

Arbeitender Muskel

Zellen, welche die abgestorbenen Zellen ersetzen.
In den meisten Geweben unseres Körpers teilen
und erneuern sich die Zellen während des ganzen
Lebens. Nur einige Gruppen von Zellen – zum
Beispiel die Nervenzellen – haben mit der Teilung
schon aufgehört, ehe wir zur Welt kamen. Sie
wachsen zwar weiter, vermehren sich aber nicht,
sodass wir unser ganzes Leben hindurch die gleichen Nervenzellen haben.

Die Arbeit der Muskelzellen

Wenn wir einen Arm beugen, dann wird diese
Arbeit bekanntlich von den Muskeln geleistet.
Sie bestehen aus langen Proteinfasern, die in

Bündeln zusammengefasst sind; das Ende jedes
Bündels ist am Knochen befestigt. Bei der Arbeit
verkürzen sich die Fasern und dadurch kommt
das Beugen des Arms zustande. Diese Verkürzung,
Kontraktion genannt, ist also der entscheidende
Vorgang bei der Muskelarbeit. Er wird durch sehr
komplizierte biochemische Vorgänge ermöglicht,
über die noch keine wirkliche Klarheit besteht.
Die maschenartige Struktur des Protoplasmas ist
für den Ablauf der Lebensvorgänge sehr günstig.
Das Wasser kann normalerweise ungehindert
hindurchfliessen, es transportiert kleinere Moleküle, die mit grösseren reagieren. Das Protoplasma
bildet sozusagen ein Verkehrssystem, mit dessen
Hilfe die Organisation der beteiligten Moleküle
erfolgt. Zum Aufbau von Zucker, Fett und Eiweiss

wird das »Baumaterial« antransportiert. Zucker und Fette speichern chemische Energie, die Eiweissstoffe werden in die Zellstrukturen eingebaut.

Die Fermente (Enzyme) spalten die Nahrungsmoleküle Schritt für Schritt auf, Wasserstoffatome werden abgetrennt und mit Sauerstoff verbunden, wodurch Wasser entsteht. Das ist ein Verbrennungsvorgang, eine Oxydation, die Energie liefert. Es wäre nicht günstig, wenn sie in zu grossen Mengen auf einmal produziert würde. Die Zelle braucht jeweils nur ganz wenig Energie, sie deckt ihren Bedarf durch Vermittlung einer Substanz, die Adenosintriphasphat, abgekürzt ATP, genannt wird. Mit seiner Hilfe steht die bei der Nahrungsverbrennung in der Zelle gelieferte Energie jederzeit in gut verwendbarer Form zur Verfügung.

Es handelt sich um ein stickstoffhaltiges Molekül. An einem Ende dieses komplizierten Gebildes befindet sich eine Kette von drei Atomgruppen, die Phosphor enthalten. Wenn diese Kette angehängt wird, speichert sich im ATP-Molekül Energie; wird die Gruppe abgespalten, dann ist die Energie verfügbar. Ist der Vorrat an ATP-Molekülen aufgebraucht, dann bilden sich sofort neue ATP-Moleküle. Daher kann normalerweise kein Energiemangel eintreten.

Die Zellen speichern und verbrauchen also ständig Energie. Aber was geschieht, wenn ein Organismus nicht genug Nahrung und damit zu wenig Energie bekommt? Zunächst greift der Organismus auf seine Reserven an Kohlehydraten und vor allem Fett zurück. Erst dann wird auch die Eiweisssubstanz angegriffen – das ist eine für das Lebewesen gefährliche Notmassnahme. Im übrigen finden auch bei sehr reichlicher Nahrungszufuhr neben dem Aufbau ständig Abbauvorgänge in der Zelle statt. Aber unter normalen Lebensbedingungen gleichen sich »Zerstörung« und »Neubau« des Zellmaterials aus. So bleibt die Form im Wandel der Stoffe erhalten – das Leben geht weiter.

Nahrung und Verdauung

Der Organismus muss die Nahrung so verarbeiten, dass alle Zellen des Körpers in der jeweils richtigen Weise versorgt werden. Um das zu erreichen, ist ein chemischer Abbau der Nährstoffe notwendig, denn sonst könnten sie von den Zellen nicht aufgenommen werden. Der Erfüllung solcher Aufgaben dient die Verdauung.

Sie erfolgt bei den vielzelligen Lebewesen mit Hilfe eines schlauchförmigen Organs, das sich in einfachster Form schon bei dem winzigen Süsswasserpolypen, der Hydra, findet. Dieses Tierchen lebt auf toten Blättern am Grunde von kleinen

Eine Hydra fängt und verschlingt ihre Beute.

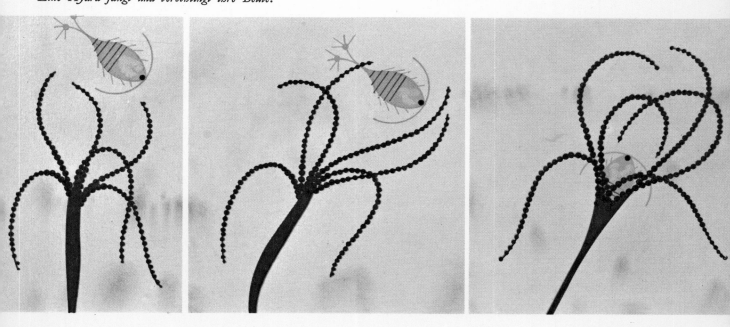

Tümpeln. Es sieht wie ein kleines Stück Schnur aus, die an der Unterlage befestigt ist. Das freie Ende scheint in eine ganze Anzahl verschieden langer Fädchen ausgefranst zu sein, die im Wasser hin- und herschwingen.

Betrachtet man die Hydra durch ein Vergrösserungsglas, dann stellt sich heraus, dass der Polyp hauptsächlich aus einem einseitig geschlossenen Magenschlauch besteht. Das freie Ende hat eine Öffnung, die zur Aufnahme der Nahrung wie zur Ausscheidung dient. Die »Fädchen« im Mundbereich sind Fangarme, mit deren Hilfe die Hydra winzige Lebewesen, wie zum Beispiel Wasserflöhe, fängt. Die Beute wird verschluckt und gelangt in den Magenschlauch. Seine Wand besitzt Drüsenzellen, von denen Fermente abgesondert werden. Wenn die Nahrung verdaut ist, wird sie von den Nährzellen des Süsswasserpolyps aufgenommen.

Die höheren Lebewesen verfügen natürlich über viel kompliziertere Verdauungsorgane. Der Darm des erwachsenen Menschen ist 8 bis 9 Meter lang, davon entfallen etwa 7 bis 7,5 Meter auf den Dünndarm, in dem die Nahrungsstoffe aufgesaugt werden. Der Dickdarm dient hauptsächlich der Eindickung unverdaulicher Stoffe. Die innere Wand des Dünndarms enthält zahlreiche winzige Vorsprünge, die Zotten, sodass die aufsaugende Oberfläche des Darms ausserordentlich vergrössert wird. (Darmoberfläche ohne Zotten etwa 0,8 qm, mit Zotten 4 qm!)

Während des Verdauungsprozesses wirken zahlreiche Fermente nacheinander auf die Nahrung ein, sodass die Aufspaltung der grossen Moleküle meist in mehreren Schritten erfolgt. Jedes Ferment hat eine bestimmte Aufgabe: so liefert die Bauchspeicheldrüse verschiedene Fermente für die Spaltung der Kohlenhydrate, der Fette und der Eiweissstoffe. Die verdauten Stoffe werden von den Zotten des Dünndarms aufgesaugt und gelangen schliesslich ins Blut. Mit ihm werden sie an alle Verbrauchsstellen transportiert, sodass jede Zelle das von ihr benötigte Brenn- und Baumaterial in gut verwendbarer Form erhält.

Speicheldrüsen

Speiseröhre

Magen

Leber

Dünndarm

Dickdarm

Die Verdauungsorgane des Menschen.

20

Wasser ist lebenswichtig

Die Tätigkeit aller Organe, Gewebe und Zellen unseres Körpers hängt entscheidend vom Wasser ab. Aus dieser lebenswichtigen Flüssigkeit besteht der grösste Teil des Blutes; das Protoplasma selbst enthält 90 % Wasser. Es sorgt für den Transport des »Baumaterials« zu den Zellen und nimmt die Abfälle mit. Natürlich muss der Wasserhaushalt im Organismus unter allen Beanspruchungen richtig funktionieren. Das Wasser passiert ständig die Zellwände und entsprechende Regulationen sorgen dafür, dass sich dabei Wasseraufnahme und Wasserabgabe stets die Waage halten. Wäre der »Zufluss« zu gross, dann müssten die Zellen gewissermassen aufquellen, das Gewebe würde dann wie ein Ballon aufgeblasen. Verliefe der Vorgang umgekehrt, gelangte also zu wenig Wasser in die Zellen, dann würden sie einschrumpfen. Beides wäre gefährlich.

Man kann solche »Fehler« im Experiment künstlich herbeiführen und die Folgen mikroskopisch feststellen, zum Beispiel an roten Blutkörperchen als Versuchsobjekten. Wir beobachten sie zunächst im sogenannten Blutplasma, der Blutflüssigkeit,

und sehen, dass es sich bei jenen Körperchen um scheibenförmige Zellen handelt. Nun wird das Plasma mit Fliesspapier entfernt und wir lassen etwas Wasser auf die Blutkörperchen tropfen. Daraufhin schwellen diese Zellen in der verdünnten Flüssigkeit an. Sie verlieren ihre scheibenförmige Form, einige platzen sogar.

In einem zweiten Versuch fügen wir den roten Blutkörperchen etwas Zuckerlösung zu. Daraufhin schrumpfen sie rasch ein, jeweils bleibt nur eine winzige Zelle übrig.

Beim ersten Versuch haben die Zellen mehr Wasser aufgenommen, als sie abgeben konnten und deshalb schwollen sie an. Beim zweiten Versuch war es umgekehrt: die Wasserabgabe der Blutkörperchen überstieg die »Einnahmen« und daher schrumpften die Zellen zusammen.

Die Erklärung dieser Vorgänge ist nicht schwer. Erinnern wir uns, dass die Zellwand mit einem Maschennetz verglichen werden kann: ihre »Öffnungen« können Wasser und manche Moleküle anderer Substanzen ohne weiteres passieren. Aber die Moleküle des Traubenzuckers zum Beispiel kommen nicht hindurch.

Wenn eine solche Membran von Wasser umgeben

Rotes Blutkörperchen im Wasser (oben) und in einer Zuckerlösung (unten).

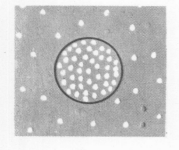 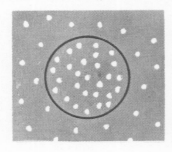 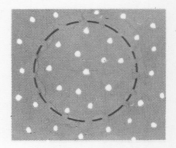

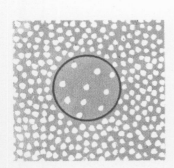 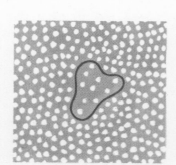 

ist, wird sie in jeder Richtung von ungefähr gleichvielen Wassermolekülen passiert werden. Nun wollen wir aber annehmen, das Wasser auf der einen Seite der Membran enthalte Moleküle, die nicht passieren können. Das war bei unserem ersten Versuch mit den roten Blutkörperchen der Fall.

Ausserhalb dieser Zellen befand sich Wasser, innerhalb Protoplasma, das viele sehr grosse Moleküle enthält.

Nun geschah Folgendes: von beiden Seiten passieren Wassermoleküle die Zellwand, aber die grossen Moleküle können nicht im gleichen Anteil hinaus und so kam es zum Aufquellen der Zelle.

Beim zweiten Versuch war es genau umgekehrt. In diesem Fall verlässt mehr Wasser das Innere der Zelle, als gleichzeitig eindringen kann, sodass auf diese Weise die Zelle einschrumpft.

Die Nieren als Blutfilter

Die Zusammensetzung des Blutes ist ausserordentlich kompliziert und muss ständig neu einreguliert werden. Bei der Erfüllung dieser Aufgabe spielen die Nieren eine entscheidend wichtige Rolle. Sie liegen an der hinteren Bauchwand und enthalten unzählige röhrenförmige Kanälchen, deren Länge insgesamt etwa 60 km beträgt. Jeder Tropfen unseres Blutes passiert die Nieren etwa zweimal pro Stunde. Dabei werden alle im Blut aufgelösten Nährsubstanzen, Salze usw. ebenso wie das im Blut enthaltene Wasser gefiltert. Danach kehren 99 % des Wassers und weitaus der grösste Teil aller gelösten Substanzen ins Blut zurück. Nur ein Prozent des Wassers verlässt den Körper, es dient gewissermassen als Transportmittel für die Ausscheidung von nicht benötigten Salzen. Auf solche Weise sorgen die Nieren ständig dafür, dass das Gleichgewicht des Wasserhaushalts bestehen bleibt.

Aber sie haben noch andere, nicht minder wichtige Aufgaben zu erfüllen. So werden mit Hilfe der Nieren gewisse Stickstoffverbindungen entfernt, die beim Abbau von Eiweissverbindungen entstehen. Sie und andere Schlackenstoffe, die vom Organismus nicht mehr gebraucht werden, gelangen schliesslich in die Blase und werden mit dem Harn ausgeschieden.

Unsere Gesundheit, ja unser Leben hängen davon ab, dass der unendlich komplizierte Wasserhaushalt des Körpers störungsfrei funktioniert. Ununterbrochen wird mit Hilfe des Wassers allen Geweben das jeweils benötigte Material zugeführt.

Nierenkanälchen

Nieren

Harnblase

Das mit gelösten Stoffen »beladene« Wasser fliesst durch alle Adern, von den grossen Schlagadern bis zu den winzigen Haargefässen. Es durchtränkt die fünfzig Billionen Zellen unseres Körpers und hilft bei ihrer Versorgung. Deshalb ist der Organismus so wasserreich, auch im Körper des Erwachsenen bestehen die Gewebe zwischen 70 und 75 % aus Wasser. Ohne seine Beteiligung gibt es kein Leben.

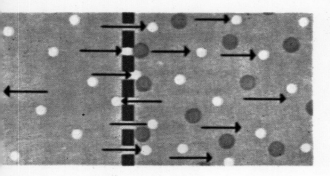

In der Mitte des Bildes eine Membran, links Wasser, rechts eine Zuckerlösung.

Der Blutkreislauf

Wie die winzige Amöbe nimmt auch der Mensch Sauerstoff auf und gibt Kohlendioxyd ab. Aber im Gegensatz zur Amöbe besitzt er bekanntlich eine »wasserdichte« Haut. Sie scheidet ständig Wasser im gasförmigen Zustand ab, dagegen ist die Haut-Atmung geringfügig: sie beträgt nur etwa 1 % vom Gaswechsel in den Lungen. Fische haben bekanntlich ebenfalls eine Haut, die sie vom Wasser trennt. Hätte ihnen die Natur nur eine einfache Zellwand gegeben, dann könnten sie mit ihrer Hilfe Sauerstoff aufnehmen. Aber sehr zweckmässig wäre das nicht, denn die geringe Oberfläche einer solchen Membran würde keinesfalls ausreichen, um genügend Sauerstoff passieren zu lassen.

Bei den Fischen hat die Natur das Atmungsproblem mit Hilfe der Kiemen gelöst. Sie stellen stark gefaltete Hautbildungen dar, die eine sehr grosse Oberfläche besitzen. Die Kiemen sind in ständiger Bewegung, sie werden vom Wasser durchströmt und auf diese Weise erfolgt die Aufnahme des Sauerstoffs.

Bei den Lungenatmern, also auch beim Menschen, wendet die Natur eine andere »Methode« an. Die Luft kommt durch die Luftröhre, die sich in zwei Äste teilt. Sie verzweigen sich, bilden immer enger werdende Kanäle und die feinsten Verzweigungen endigen in den Lungenbläschen. Da ihre Zahl ausserordentlich gross ist (etwa 750 Millionen!), wird die Atemfläche des Lungenraums enorm vergrössert — bei tiefer Einatmung auf ca. 100 Quadratmeter.

Die Wandungen der Lungenbläschen sind feucht und ausserordentlich dünn. Der Sauerstoff kann sie daher leicht passieren und gelangt in die feinen Blutgefässe (Kapillaren), die wie ein winziges Netzwerk die Lungenbläschen umgeben. Von den Kapillaren wird das Blut weitertransportiert, es enthält bekanntlich das Hämoglobin, den roten Blutfarbstoff: ein Protein, dessen Molekül Eisen enthält. Das Hämoglobin hat die äusserst wichtige Aufgabe, den Sauerstoff aufzunehmen, indem es eine lockere Bindung mit ihm eingeht.

Das mit Sauerstoff angereicherte Blut fliesst von den Lungen zum Herzen, das es durch die Arterien in den Körper pumpt. Auch sie verzweigen sich in immer kleiner werdende Gefässe, zuletzt die haarfeinen Kapillaren, von denen alle Gewebe des Körpers durchzogen sind. Mit ihrer Hilfe gelangt das Blut in alle Teile des Körpers. Die Kapillaren stehen mit den Venen in Verbindung, die für den Rücktransport des Blutes zum Herzen sorgen.

Wer den heissen Ofen unvorsichtig anfasst, kann sich eine Brandblase zuziehen, in der sich eine farblose Flüssigkeit sammelt. Es ist Lymphe, von der alle Gewebe des Körpers ständig durchströmt werden; der Lymphkreislauf dient der Vermittlung zwischen Blut und Gewebe. Der Sauerstoff des Hämoglobins wird antransportiert, das Kohlendioxyd hält sozusagen die umgekehrte Richtung ein. Es gelangt von den Zellen in die Lymphe, dann in die Kapillaren und mit dem Blut in die Lungen, mit deren Hilfe es ausgeatmet wird.

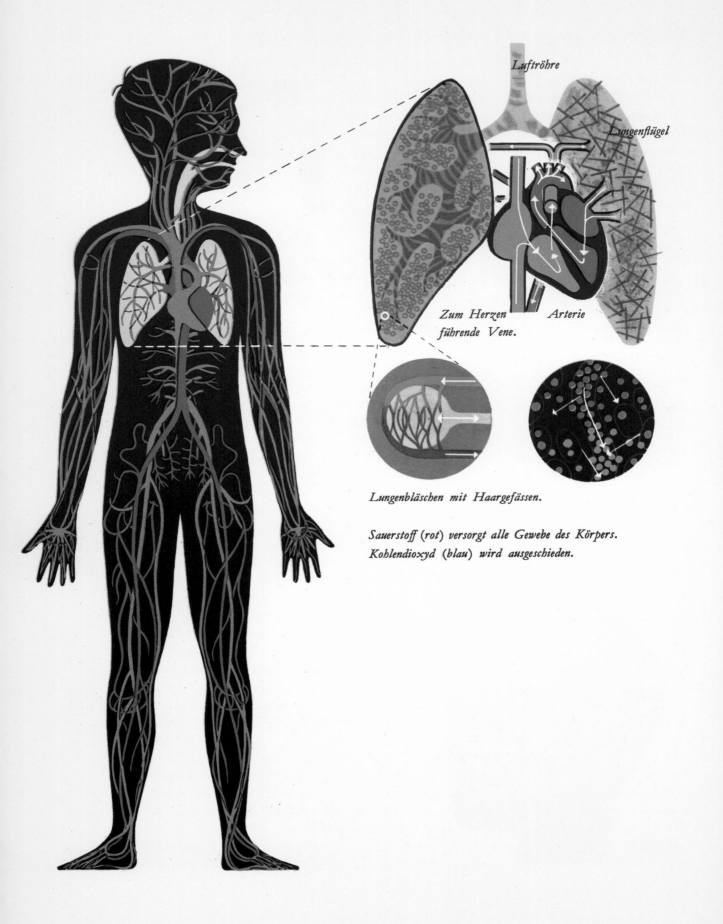

Luftröhre

Lungenflügel

Zum Herzen
führende Vene.

Arterie

Lungenbläschen mit Haargefässen.

Sauerstoff (rot) versorgt alle Gewebe des Körpers.
Kohlendioxyd (blau) wird ausgeschieden.

Drüsen und Hormone

Die Fähigkeit zum Wachstum ist eine Grundeigenschaft der lebenden Substanz, sie zeigt sich in den verschiedensten Formen und verläuft bei jedem Lebewesen nach ganz bestimmten Gesetzen. Bei den Warmblütern und dem Menschen ist das Grössenwachstum bekanntlich auf das jugendliche Alter begrenzt. Wenn wir im Familienalbum die eigenen Aufnahmen aus der Kindheit betrachten, dann zeigt sich, dass die Wachstumsvorgänge nicht gleichmässig verlaufen. Zuerst wuchs der Kopf rascher als der übrige Körper, dann wuchsen Rumpf und Glieder rascher als der Kopf. Die erste Streckungsperiode des Körpers – also das Überwiegen des Längenwachstum über das Massenwachstum – liegt zwischen dem 5. und 7. Lebensjahr, die zweite zwischen 11 und 15. Etwa mit dem 20. Lebensjahr ist die eigentliche Wachstumsperiode abgeschlossen.

Beim Menschen wie bei allen höheren Tieren wird das Wachstum durch ein sehr kompliziertes Zusammenspiel verschiedener Hormone gesteuert. Ihre Bildungsstätten sind bekanntlich die Drüsen mit innerer Sekretion. Sie geben ihre Sekrete direkt in den Blutstrom ab und können daher überrall im Körper wirken.

Zwei wichtige Drüsen

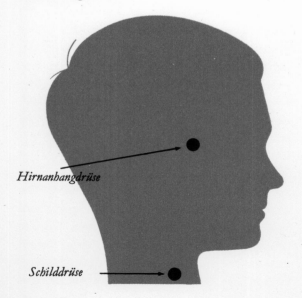

Hirnanhangdrüse

Schilddrüse

Ein kleines Kind und ein Erwachsener haben durchaus verschiedene Proportionen.

An der Vorderseite des Kehlkopfes liegt beim Menschen die Schilddrüse, die aus zwei Seitenlappen und einem Mittellappen besteht und das Hormon Thyroxin produziert. Es hat sehr vielseitige Wirkungen, die man auch im Tierversuch eingehend untersucht hat. Entfernt man bei einer Kaulquappe jene Drüse, dann bleibt das Tier für den Rest seines Lebens eine Kaulquappe, auch wenn sie die Grösse – aber nicht die Gestalt! – eines Frosches erreichen kann. Gibt man ihr dagegen sozusagen eine Überdosis Schilddrüsenhormon, dann wird das Tempo der »Froschwerdung« stark beschleunigt. So sehr, dass sich eine noch viel zu kleine Kaulquappe unter der verstärkten Hormonwirkung zu einem winzigen Frosch entwickelt.

Es kommt bisweilen vor, dass ein Kind geboren wird, dessen Schilddrüse nicht oder nur ungenügend funktioniert. Solche angeborene Fehlbildungen haben früher zu sehr schweren Folgen geführt: die Kinder wurden körperlich missgestaltet und auch ihre geistige Entwicklung war schwer beeinträchtigt. (Kretinismus). Heute wird in derartigen Fällen das fehlende Hormon dem Kinde zugeführt und so ein Ausgleich für die mangelhafte oder überhaupt fehlende Funktion der Schilddrüse geschaffen. Auf diese Weise kann erreicht

Eine übergrosse Kaulquappe und ein winziger Frosch: Ergebnisse von Hormonexperimenten.

werden, dass die Wachstumsvorgänge einigermassen normal verlaufen.

Eine sehr grosse Rolle im hormonalen System spielt ferner die nur etwa kirschgrosse Hirnanhangdrüse (Hypophyse). Sie besteht aus zwei Teilen, die Vorderlappen und Hinterlappen genannt werden und zusammen neun sehr wichtige Hormone produzieren. Sie steuern direkt wie indirekt zahlreiche Lebensfunktionen und beeinflussen ausserdem die Tätigkeit der übrigen hormonalen Drüsen. Entfernt man einer Kaulquappe den Vorderlappen der Hypophyse, dann unterbleibt die Entwicklung zum Frosch. In solchem Fall zeigt sich, dass die Schilddrüse der Kaulquappe nur den zehnten Teil ihrer normalen Grösse aufweist. Daraus geht hervor, dass die Entwicklung eines Lebewesens stark beeinträchtigt wird, wenn die Steuerung des hormonalen Systems durch die Hirnanhangdrüse fehlt.

Wird jene Drüse irgendwie geschädigt, sodass ihre Hormonproduktion nicht normal verläuft, dann sind schwere Schäden die Folge. Ein Kind, dessen Hypophyse zuviel Wachstumshormon produziert, zeigt den sogenannten Riesenwuchs, umgekehrt führt ungenügende Hormonproduktion jener lebenswichtigen Drüse zum Zwergwuchs. Auch Fettsucht, Magersucht und zahlreiche andere Störungen und Krankheiten werden durch Mängel in der Hormonproduktion der Hirnanhangdrüse ver-

ursacht. Es ist anzunehmen, dass man derartige Störungen in absehbarer Zukunft durch Hormonbehandlung wenigstens teilweise ausgleichen wird.

Wie wird das Wachstum der Pflanzen gesteuert?

Vor einigen Jahren wurden in Japan Versuche durchgeführt, die eine Verbesserung der Reisernten zum Ziele hatten. Die beteiligten Biologen hatten von eigenartigen Reispflanzen gehört, die mit einem Ausdruck der Bauern als »verrückte Setzlinge« bezeichnet wurden. Es handelte sich um Pflanzen, die sehr rasch eine verhältnismässig grosse Länge erreichten, aber ganz dünn blieben. Diese eigenartigen Pflanzen wurden nun genauer untersucht und es zeigte sich, dass sie von einem Pilz, Gibberella genannt, befallen waren. Durch gewisse Substanzen, die sich beim Stoffwechsel jenes Pilzes bildeten, war das eigenartige Wachstum der infizierten Reispflanzen verursacht worden.

Die Frage war nun, ob man diese merkwürdigen Substanzen (chemisch handelt es sich um bestimmte Säuren) nutzbringend verwerten konnte. Das wurde in einer ganzen Reihe von Experimenten an verschiedenen Pflanzenarten erprobt. Ein entsprechend »behandelter« Zitronenbaum wurde sechsmal höher als normal, Kohlpflanzen bildeten keinen Kopf, sondern entwickelten sich zu mehrere Meter langen Gebilden. Sie ähnelten einer Bohnenstange, aber das abnorme Wachstum war in allen Fällen nutzlos. Es lieferte nur Zerrbilder der normalen Pflanzen.

Von der modernen Forschung wurde nachgewiesen, dass die Pflanzen in der Tat wachstumsregulierende Substanzen besitzen. Es handelt sich um Auxine genannte Wirkstoffe, die in kleinsten Mengen bestimmte Wachstumsvorgänge auslösen. Neben solchen Wuchsstoffen gibt es andere Substanzen, die als Hemmstoffe auf das Wachstum wirken. Wieder andere – man nennt sie Blühhormone – veranlassen die Blütenbildung. Eine ganze Reihe derartiger Stoffe konnte künstlich hergestellt werden, sie haben grosse praktische Bedeutung erlangt.

Ohne Luft kein Leben

Mensch und Tier können nur existieren, wenn sie genügend Luft zum Atmen haben. Heute weiss das schon jedes Kind, aber es hat verhältnismässig lange gedauert, ehe ein Wissenschaftler erstmals auf die Idee kam, sich mit dieser im wahrsten Sinne des Wortes lebenswichtigen Frage zu beschäftigen. Das geschah vor etwa 300 Jahren. Damals lebte in England ein junger Chemiker namens Mayow, der zu unserem Thema einige ebenso einfache wie aufschlussreiche Versuche durchführte. Er nahm einen Zuber, füllte ihn mit Wasser und stellte einen Hocker hinein. Wie das Bild auf Seite 28 zeigt, setzte Mayow nun eine Maus im Käfig auf den Hocker und stülpte über das ganze »Experimentiergerät« ein Gefäss, dessen unterer Rand sich im Wasser befand. Auf einen zweiten Hocker kam eine brennende Kerze, die ebenfalls mit einem ins Wasser eintauchenden Gefäss überdeckt wurde. In beiden Fällen war also die Luftzufuhr zum Gefäss abgeschnitten.

In den Gefässen stieg nun das Wasser etwas an, etwa bis zur Sitzfläche des Hockers. Dann aber geschah Folgendes: die Kerze flackerte und erlosch – die Maus schnappte nach Luft und starb. Dann wurde eine zweite Maus zusammen mit der brennenden Kerze unter das Gefäss gebracht. Diesmal starb die Maus viel rascher als ihre Vorgängerin, auch die Kerze brannte nur ganz kurz. Damit war etwas sehr Wichtiges bewiesen. Offensichtlich wurde bei den Experimenten der Luft in den Gefässen eine Substanz entzogen, ohne deren Vorhandensein eine Kerze nicht brennen und ein Tier nicht leben kann. Aber welche Substanz war das? Mayow konnte die Frage nicht beantworten und das Problem blieb noch weitere hundert Jahre ungelöst.

Experimente mit der Luft

In der zweiten Hälfte des 18. Jahrhunderts suchte der englische Pfarrer und Naturforscher Joseph Priestley die Zusammensetzung der Luft zu erforschen. Er wohnte neben einer Brauerei und hatte eines Tages Gelegenheit, das Aufsteigen der Gasblasen aus dem Malz zu beobachten. Dabei kam er auf die Idee, einen brennenden Holzspan in das Gas zu halten. Die Flamme erlosch sofort. Entsprechende Untersuchungen ergaben, dass das gleiche Gas entsteht, wenn Kerzen brennen oder Tiere atmen: wir nennen es heute Kohlendioxyd. Es ist in sehr geringen Mengen in der Luft enthalten.

Dann experimentierte Priestley mit jenem Gas, das später Sauerstoff genannt wurde und rund ein Fünftel der Luft ausmacht. Er stellte fest, dass eine Kerze in diesem Gas weit heller als sonst leuchtet und sehr rasch verbrennt. Glühende Holzkohle begann Funken zu sprühen und ging dann in Flammen auf.

Die Frage für ihn war nun, welche Bedeutung der Sauerstoff für den Atmungsvorgang hat. Dieses Problem konnte durch ein Experiment wenigstens teilweise geklärt werden. Priestley setzte Mäuse unter zwei Glasgefässe, von denen das erste »gewöhnliche« Luft, das zweite reinen Sauerstoff enthielt. Es zeigte sich, dass die Maus im ersten Gefäss nach 15 Minuten starb, während die Atmungsbedingungen im zweiten Gefäss weit günstiger waren. Die Maus im Sauerstoff war nach einer halben Stunde noch genau so munter wie bei Beginn des Versuchs.

Daraus zog Priestley den Schluss, dass Sauerstoff für den Atmungsvorgang durchaus geeignet ist, ja er schien in dieser Beziehung gewöhnliche Luft sogar zu übertreffen.

Atmung ist Verbrennung

Die Bezeichnung Sauerstoff stammt von dem französischen Chemiker Lavoisier. Er hatte von Priestleys Experimenten gehört und schloss daraus, dass eine Beziehung zwischen den scheinbar so verschiedenen Vorgängen bei der Verbrennung und Atmung bestehen müsse. In beiden Fällen wird Sauerstoff verbraucht und Kohlendioxyd gebildet. Handelte es sich also, so überlegte er, bei der Atmung um eine besondere Form der Verbrennung?

Lavoisier überprüfte seine Idee in einer genial erdachten Versuchsanordnung. Er nahm ein doppelwandiges Gefäss und füllte den Raum zwischen den Wänden mit zerstossenem Eis. Zuerst wurde

Mayows Experiment mit der Maus unter der Glasglocke.

in dem Gefäss eine bestimmte Menge Holzkohle verbrannt, wobei ein Teil des Eises schmolz. Dann setzte Lavoisier ein Meerschweinchen in das Gefäss, dessen Körperwärme ebenfalls einen bestimmten Teil des Eises zum Schmelzen brachte. Bei diesen beiden Versuchen befand sich Sauerstoff in Gefäss. Man stellte dann genau fest, wieviel Sauerstoff jeweils verbraucht und wieviel Eis geschmolzen war.

Das Ergebnis war sehr aufschlussreich. In 10 Stunden verbrauchte das Meerschweinchen die gleiche Menge Sauerstoff wie bei der Verbrennung von 30 Gramm Holzkohle verbraucht wurde. Und die Körperwärme des Tierchens hatte genau die gleiche Menge Eis geschmolzen wie der Wärmeleistung der verwendeten Holzkohle entsprach. Mit anderen Worten: in beiden Fällen wurde bei gleichem Sauerstoffverbrauch die gleiche Wärmemenge produziert!

Jetzt konnte Lavoisier, auf seine Beweise gestützt, folgendes sagen:

»Die Atmung ist tatsächlich eine besondere Form der Verbrennung. Sie verläuft zwar langsamer, entspricht aber trotzdem genau den Vorgängen beim Verbrennen von Kohle oder Holz. Daraus geht hervor, dass durch die Luft, die wir einatmen, die innere, uns wärmende Flamme des Lebens am Brennen gehalten wird.«

Pflanzen erzeugen Sauerstoff

Überall auf unserem Planeten finden Atmungs- und Verbrennungsvorgänge im grössten Ausmass statt, daher werden ständig gewaltige Mengen von Sauerstoff verbraucht. Trotzdem ist der Vorrat an diesem lebenswichtigen Gas nach Millionen von Jahren nicht kleiner geworden. Also muss Sauerstoff ständig »produziert« werden. Und das ist auch der Fall.

Wir haben schon in der Schule gelernt, dass die grünen Pflanzen bei Tageslicht Sauerstoff abgeben. Das ist aber noch nicht alles. Die Pflanzen sorgen auch dafür, dass der Gehalt der Luft an Kohlendioxyd nicht zu gross wird. Jenes Gas wird von den Blättern aufgenommen, aus ihm und dem von den Wurzeln gelieferten Wasser bilden sich

Nährstoffe wie Traubenzucker und Stärke. Der Schweizer Gelehrte Nicolas de Saussure hat als erster die Bildung organischer Stoffe durch die Assimilation der Pflanzen nachgewiesen.

Das Kohlendioxyd ist eine Verbindung von Kohlenstoff und Sauerstoff, beide sind chemische Elemente: Grundstoffe also, die durch kein chemisches Verfahren in einfachere Stoffe zerlegt werden

Mit Hilfe dieser Versuchsanordnung mass Lavoisier die Wärmeproduktion von Lebewesen.

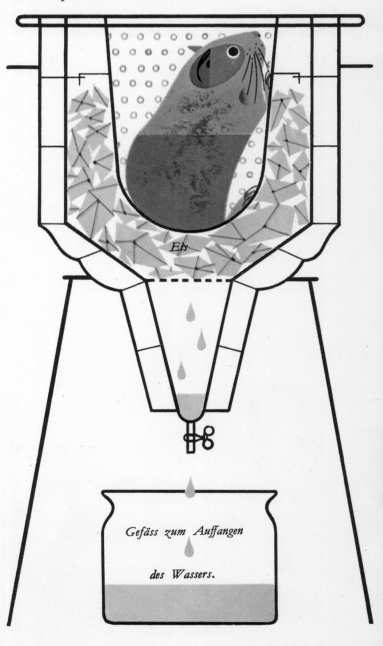

Eis

Gefäss zum Auffangen

des Wassers.

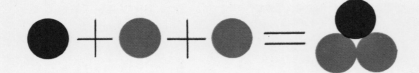

Kohlenstoff + Sauerstoff
+ Sauerstoff = Kohlendioxyd
$$C + O + O = CO_2$$

können. Zur Zeit sind mehr als 100 chemische Elemente bekannt. Jedes von ihnen hat einen bestimmten Aufbau seiner Atome, er bestimmt die chemischen Eigenschaften des Elements. Die kleinsten Teile einer chemischen Verbindung nennt man Moleküle: im Falle des Kohlendioxyds sind zwei Atome Sauerstoff mit einem Atom Kohlenstoff verbunden.

Holz kann bekanntlich in Holzkohle verwandelt werden, da es sehr viel Kohlenstoff enthält. Ganz allgemein ist jede pflanzliche Substanz reich an jenem Element und diese Tatsache führte de Saussure zu einer wichtigen Überlegung. Er wollte feststellen, ob vielleicht der Kohlenstoff-Gehalt von Pflanzen aus dem Kohlendioxyd der Luft stammt. Um das festzustellen, machte er einen sehr aufschlussreichen Versuch. Er brachte Pflanzen unter eine Glasglocke und fügte eine Substanz hinzu, die der Luft das Kohlendioxyd entzieht.

Ergebnis: die Pflanzen wuchsen nicht weiter und verloren nach drei Wochen ihre Blätter.

Entsprechende Kontrollversuche mit Pflanzen, die genügend Kohlendioxyd zur Verfügung hatten, ergaben auch unter der Glasglocke ein normales Wachstum. Stand aber mehr Kohlendioxyd zur Verfügung, als seinem üblichen Anteil an der Luft entspricht, wuchsen die Versuchspflanzen rascher als sonst. Dann verkohlte de Saussure die Pflanzen und wog ihren Gehalt an Kohlenstoff. Es zeigte sich, dass er genau mit den verschiedenen Versuchsbedingungen übereinstimmte: die Pflanzen mit der zusätzlichen Kohlendioxyd-Versorgung hatten den höchsten Kohlenstoffgehalt. Damit war eindeutig bewiesen, dass Saussures Feststellung stimmt: die Pflanze deckt also ihren Bedarf an Kohlenstoff aus dem Kohlendioxyd der Luft.

Unter der Einwirkung des Sonnenlichtes wird Wasser in der pflanzlichen Zelle gespalten.

*Auf dem Land wie im Wasser
atmen die Lebewesen Sauerstoff (O_2) ein und geben Kohlendioxyd (CO_2) ab.*

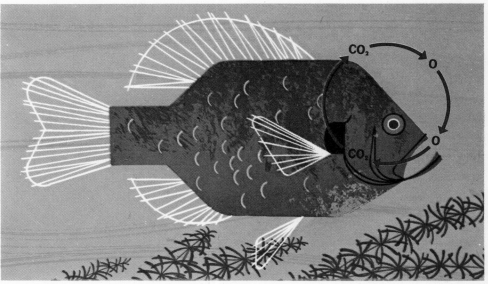

Der Kreislauf von Sauerstoff und Kohlendioxyd

Das Kohlendioxyd bildet nur einen winzig kleinen Anteil der Luft: im Durchschnitt sind es
0,03%. Aber das genügt, um unsere Wälder,
Wiesen und Äcker damit zu versorgen. Übrigens
ist jenes Gas im Wasser löslich, sodass auch den
Wasserpflanzen immer genug zur Verfügung steht.
Man hat den Kohlenstoffbedarf aller Pflanzen wenigstens ungefähr errechnet: er beträgt rund 150
Milliarden Tonnen pro Jahr. Das bedeutet: innerhalb weniger Jahre wäre der Vorrat an Kohlen-

dioxyd aufgebraucht – wenn es keinen Nachschub
gäbe. Aber die Natur hat dafür gesorgt, dass auf
zwei Wegen ständig neue Mengen gebildet werden. Jedes tote Lebewesen, gleich ob Tier oder
Pflanze, gibt bei seiner Auflösung Kohlendioxyd ab.
Die zweite Methode der »Nachlieferung« des
Gases an die Atmosphäre ist die Atmung. Menschen wie Tiere geben mit jedem Atemzug etwas
Kohlendioxyd an die Luft ab.
Einen ähnlichen Kreislauf gibt es beim Sauerstoff.
Er wird ständig verbraucht und ständig neu gebildet. Auch hier besteht also keine Gefahr für
das Leben auf unserem Planeten.

Aufbau des Moleküls eines einfachen Zuckers durch die Pflanze.

Kohlenstoff

Sauerstoff

Wasserstoff

Pflanzen sind Energiespeicher

Kohle wie Erdöl sind im Laufe von Jahrmillionen hauptsächlich aus pflanzlichem Material entstanden; auch unsere Nahrung stammt direkt oder indirekt von den Pflanzen. In beiden Fällen muss also der Wasserstoff in unseren Nahrungsmitteln und Brennstoffen von den Pflanzen geliefert werden. Sie nehmen das Wasser mit ihren Wurzeln aus dem Boden auf, es zirkuliert durch die Pflanze und gelangt auch in die Blätter. Bei der Assimilation wird mit Hilfe des Chlorophylls das aufgenommene Wasser in Wasserstoff und Sauerstoff aufgespalten. Der Sauerstoff wird zum grössten Teil an die Luft abgegeben – was aber geschieht mit dem Wasserstoff? Mit Hilfe sogenannter Enzyme laufen sehr komplizierte Aufbauvorgänge ab, bei denen Wasserstoffatome mit den Molekülen des Kohlendioxyds verbunden werden. Das führt zur Bildung von Molekülen folgender Zusammensetzung: 6 Atome Kohlenstoff, 12 Atome Wasserstoff und 6 Atome Sauerstoff. Der Chemiker drückt das mit der Formel $C_6 H_{12} O_6$ aus. Das ist ein einfaches Zuckermolekül.

Die Sonnenenergie, mit deren Hilfe die Aufspaltung des Wassers erfolgte, ist keineswegs verloren, sie wird bei der Assimilation in chemische Energie umgeformt und gespeichert. Wenn wir Gemüse essen oder – was in diesem Zusammenhang gleichbedeutend ist – ein Stück Fleisch von einem pflanzenfressenden Tier, dann wird die ursprünglich von der Pflanze eingefangene Sonnenenergie wieder frei und dient gewissermassen als Treibstoff für den Organismus.

Grüne Fabriken

In einem einfachen Zuckermolekül sind die Kohlenstoffatome wie Glieder einer Kette untereinander und mit den Atomen des Wasserstoffs und Sauerstoffs verbunden. Unter der Einwirkung von Enzym-Molekülen hängt sich je eine solche »Kette« an eine andere, gleichartige an und so geht es weiter. Die Bindungsvorgänge setzen sich fort, immer mehr Moleküle werden wie bei der Montage in einer Fabrik zusammengesetzt und bilden dann ein sehr grosses und kompliziertes Molekül. Auf solche Weise wird in der Pflanze Stärke gebildet, die als Vorrat gespeichert werden kann. Stärke wie Zucker werden Kohlehydrate genannt, weil sie erstens Kohlenstoff und zweitens Wasserstoff und Sauerstoff wie beim Wasser im Verhältnis 2 : 1 enthalten.

Gäbe es keine Pflanzen, so müssten wir verhungern. Nur sie können ja mit Hilfe der Energie des Sonnenlichts jene Urnahrung bilden, von der direkt und indirekt Menschen wie Tiere leben. Viele unserer Nahrungsmittel wie Getreideerzeugnisse, Gemüse und Früchte stammen direkt von den Pflanzen, andere wie Eier, Fleisch und Milchprodukte von Tieren. Aber die eierlegenden Hühner und die Kühe, die Milch oder Fleisch liefern, fressen Pflanzen. Überall, auf dem festen Land wie im Wasser, wird die Nahrung von Pflanzen »produziert«, sie stehen am Anfang der Nahrungskette. Ein Thunfisch zum Beispiel lebt von kleineren Fischen, sie fressen noch kleinere Tiere, die ihrerseits auf die Existenz mikroskopisch kleiner Pflanzen angewiesen sind.

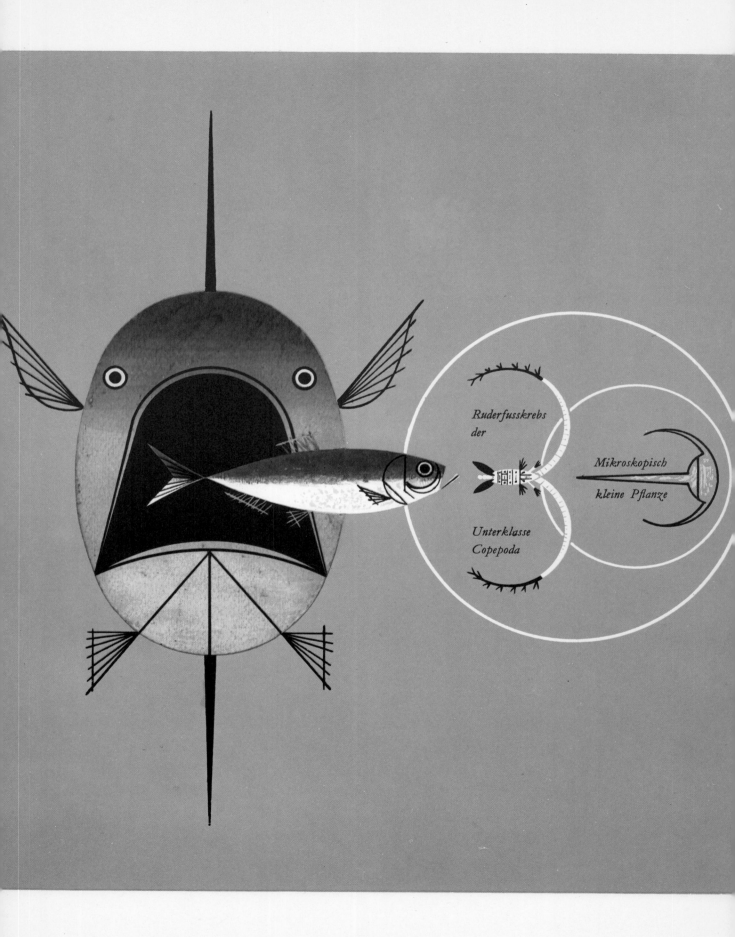

Ruderfusskrebs der

Unterklasse
Copepoda

Mikroskopisch
kleine Pflanze

Der Kreislauf des Stickstoffs

Pflanzen und Tiere sind auch »Lieferanten« der Nahrungsfette. Pflanzenfette finden sich vor allem in Früchten und Samen, während bei den Tieren alle Gewebe mehr oder weniger fetthaltig sind. Den höchsten Fettgehalt hat mit 96% das gelbe Knochenmark. Am Aufbau der Fette sind die gleichen Atome wie im Falle der Kohlehydrate beteiligt, doch werden die »Ketten« gewissermassen anders konstruiert.

Bei den Eiweissstoffen, den Proteinen, handelt es sich um unendlich »vielseitige« Substanzen, deren Erforschung sehr schwierig war und ist. Die Feststellung ist nicht übertrieben, dass jedes Lebewesen sein »individuelles« Eiweiss besitzt. Alle Eiweissstoffe enthalten ausser Kohlenstoff, Wasserstoff und Sauerstoff als wesentlichen Anteil den Stickstoff. Stickstoff findet sich in ungeheuren Mengen als Gas in der Atmosphäre: sein Anteil beträgt rund 78%! Aber mit diesem Gas können die Pflanzen nichts anfangen, da seine beiden Atome im Molekül sehr fest zusammenhalten und daher »reaktionsträge« sind, wie der Chemiker sagt.

Nur gewisse Bakterien können das Gas direkt verwerten, sie bilden Nitrate genannte Stickstoffverbindungen, die von den Pflanzen aufgenommen werden. Ferner produzieren die sogenannten nitrifizierenden Bakterien des Bodens aus dem durch Fäulnis entstehendem Ammoniak ebenfalls Nitrate.

Auf dem Festland produzieren die Bodenbakterien mit Hilfe des Luftstickstoffs Nitrate. Diese Stickstoffverbindungen werden von den Pflanzen und mit diesen von den Tieren aufgenommen. Bei der Verwesung gelangt der Stickstoff in den Boden und die Atmosphäre zurück.

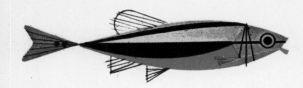

*In den Meeren und Seen wird der Stickstoffgehalt toter
Tiere von den Pflanzen verwertet.*

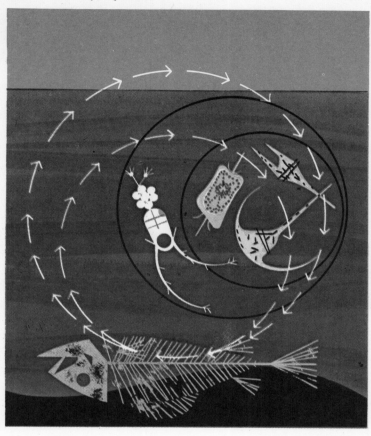

Sie sind wasserlöslich und daher den Pflanzen zugänglich. Mit Hilfe der Enzyme entstehen dann in sehr komplizierten Reaktionen Aminosäuren. Sie sind Bausteine der Eiweisskörper, von denen manche in ihren Molekülen Hunderte, ja Tausende von Aminosäuren enthalten.

Im Organismus von Mensch und Tier werden mit pflanzlicher Nahrung auch deren Eiweissstoffe aufgenommen und zu körpereigenem Eiweiss verarbeitet. Als Ergebnis dieser Vorgänge wird ein sehr grosser Teil der nutzbaren Stickstoffverbindungen

von den Lebewesen »verbraucht«. Besteht nun etwa Gefahr, dass eines Tages Stickstoffmangel herrschen wird? Nein, eine solche Gefahr besteht nicht, denn Pflanzen und Tiere sterben und ihr Körper löst sich wieder auf. Die komplizierten Eiweisssubstanzen werden in einfachere Verbindungen verwandelt und schliesslich kommt der nutzbare Stickstoff wieder in den Erdboden, in das Wasser der Meere und der Seen zurück. Dann kann er von den Pflanzen aufgenommen und verarbeitet werden.

Die Vielfalt der Lebensräume

Die Natur bietet ihren Geschöpfen Lebensräume verschiedenster Art: Wasser und Land, Wald und Steppe, Wüste und fruchtbare Erde. Mögen die Bedingungen gut oder schlecht sein, stets werden sich Tiere und Pflanzen finden, die den speziellen Voraussetzungen genau entsprechen. Sie sind ihnen angepasst, das heisst ihr Organismus ist darauf eingestellt und wird auch mit den ungünstigsten Umweltverhältnissen fertig.

Die Wüstenbewohner

Extrem schwierig sind die Lebensverhältnisse in den grossen Wüstengebieten der Erde. Lange Zeit hindurch zeigt sich keine Wolke am Himmel; glühende Sonnenhitze entzieht dem Boden auch den letzten Wassertropfen. Nach langer Trockenheit fällt dann Regen, aber das dauert meist nicht lange; ein grosser Teil das Wassers fliesst rasch weg und verdunstet. Eine Wüstenpflanze muss so eingerichtet sein, dass sie die seltenen Regenfälle optimal ausnützen kann.

Deshalb hat ihr die Natur weit ausgebreitete Wurzeln gegeben, mit denen sie rasch und ausgiebig das kostbare Nass von einer verhältnismässig grossen Fläche aufnimmt. Es kann Monate oder Jahre dauern, ehe der nächste Regen fällt.

Manche Wüstenpflanzen erwachen nur nach Regenfällen zum aktiven Leben. Die Samen keimen

aus, in kurzer Zeit wächst und blüht die Pflanze, entwickelt sich und verbreitet ihre Samen – dann stirbt sie ab. Wenn eines Tages wieder ein Regen fällt, wächst aus den Samen eine neue Pflanzengeneration heran.

Pflanzen haben eine verhältnismässig grosse Oberfläche, sie beträgt beispielsweise bei einer ausge – wachsenen Buche etwa 1200 Quadratmeter. Nun bedeutet aber die grosse Oberfläche, vor allem in Form der Blätter, auch einen entsprechend grossen Wasserverlust durch Verdunstung. Das schadet in einem hinreichend feuchtem Klima nichts, für Wüstenpflanzen aber wäre ein solcher »Luxus« beim Wasserverbrauch undurchführbar. Also muss die Oberfläche möglichst klein gehalten werden. Ein typisches Beispiel für die äusserst sparsame Wasserwirtschaft der Pflanzen bieten die Kakteen. Ihre »Blätter« sind verkümmert und zu Stacheln

oder Haaren umgebildet. Auch die Form dieser Pflanzen ist ganz auf das Leben in Trockengebieten eingerichtet. Der Säulenkaktus zum Beispiel hat nur einen dicken Stamm. Seine Oberfläche ist staubtrocken, aber innen findet sich eine saftige Substanz, die erstaunlich viel Wasser enthält. Die Stacheln haben den zusätzlichen Vorteil, das sie den Kaktus gegen durstige Tiere schützen.

Die Wüstentiere decken ihren Wasserbedarf aus ihrer Nahrung, denn Trinkwasser finden sie kaum. Viele von ihnen sind darauf spezialisiert, mit einem Minimum an Feuchtigkeit auszukommen. Wüstenratten und Wüstenmäuse zum Beispiel leben hauptsächlich von Pflanzensamen. Wenn sie im Körper verbrannt werden, dann entsteht etwas Wasser – für diese Tiere reicht es aus, um nicht zu verdursten.

Sehr viele von ihnen halten sich tagsüber im Bo-

37

den auf. Ratten und andere Nagetiere graben sich ihren eigenen Bau, auch einige Eidechsenarten tun das gleiche. Selbst Schlangen scheuen in Wüstengebieten die Sonnenwärme, sie ziehen sich meist in Gänge oder Höhlen zurück, die von irgendwelchen Nagetieren gebaut wurden. Es gibt sogar einen Vogel, der das gleiche tut. Man nennt ihn daher die Erdeule, das Tier sucht vor der Wüstenhitze Schutz unter der Erde – meist ebenfalls im Bau eines Nagetieres. Der merkwürdige Vogel baut sich dort unten ein Nest und zieht darin seine Jungen auf.

Tagsüber scheint die Wüste fast ohne Leben zu sein. Doch kaum sinkt die Nacht hernieder, da kriechen an unzähligen Stellen kleine dunkle Gestalten aus dem Boden. Nagetiere suchen Samen, grosse Eidechsen schleichen sich an kleine heran, Eulen und Schlangen machen Jagd auf eben die Nagetiere, denen sie ihr unterirdisches »Heim« verdanken.

So spielt sich das Leben unter den extremen Bedingungen des Wüstenklimas ab. Erstes Glied der Ernährungskette sind die Wüstenpflanzen, vor allem ihre Früchte und Samen. Wie immer dienen die Pflanzenfresser wieder anderen Tieren als Nahrung, aber keines von ihnen könnte ohne die eigentlichen »Pioniere« und Eroberer der Wüste existieren: die Pflanzen.

Die Waldgemeinschaft

Die Wälder der Erde produzieren ungeheure Mengen von Blättern, Zweigen, Wurzeln und Stämmen. Wenn das beliebig weitergehen würde, dann wären die im Boden vorhandenen Vorräte an Stickstoff und Mineralstoffen eines Tages aufgebraucht. Aber die Natur sorgt dafür, dass mit den Nährstoffen nicht zu verschwenderisch umgegangen wird. Abgestorbene Äste und Blätter fallen auf den Boden, wo sie oft eine dichte Schicht bilden. Die Bäume werden schliesslich alt und stürzen – jedenfalls im Urwald – eines Tages von selbst zu Boden, wo sie vermodern. Auch im Kulturwald arbeiten viele Lebewesen daran, den »Abfall« des Waldes zu verwerten. Ungezählte Insekten und Würmer leben im toten Holz. Es wird von den blassen Wurzelfäden gewisser Pilze durchzogen, die selbst kein Chlorophyll besitzen und als Schmarotzer das zerfallende Holz zu ihrer Ernährung verwenden. Mithilfe sehr wirksamer Verdauungsfermente lösen sie die Cellulose auf und »produzieren« daraus Zucker, der ihnen als Nahrung dient.

Unter der Laubdecke ist die Erde feucht und schwarz, sie enthält Humus: vermodertes Material in allen Stadien seiner Zersetzung. Das ist eine Heimstätte gewisser Bakterien, die verfaulendes Laub und Holz verarbeiten. Es wird in einfachere chemische Verbindungen umgewandelt, die von den Bäumen wieder als Nahrung verwertet werden. Wie überall in den Bereichen des Lebens finden wir auch im Walde den ewigen Kreislauf zwischen Tod, Zerfall und neu entstehendem Leben.

Unzähligen Tieren bietet der Wald Heimstatt und Nahrung. Den Vögeln dienen Insekten als Nahrung, die ihrerseits Blätter fressen; Eichhörnchen, Mäuse, Ratten »verwerten« Nüsse und Samen. Auch das Wild findet im Wald gute Ernährungsbedingungen. Fuchs und Wiesel, Eule und andere Räuber fehlen nicht, denn auch für sie ist der Tisch stets gut gedeckt.

So bietet der Wald einen sehr günstigen Lebensraum für viele und interessante Geschöpfe. Sie hausen in Höhlen und im Dickicht, unter und auf den Bäumen. Der Wald schafft die Voraussetzungen für das Dasein jener Tiere und Pflanzen, die direkt und indirekt »von den Bäumen leben«.

Die Prärie

In vielen Gebeiten der Erde, zum Beispiel im östlichen Teil Nordamerikas, fanden die ersten ins Neuland vorstossenden Pioniere riesige Waldgebiete vor. Sehr viel Arbeit war nötig, um den Wald zu roden und damit Platz für Felder und Wiesen zu schaffen. Aber die Mühe lohnte sich, denn der jungfräuliche Boden erwies sich als ausserordentlich fruchtbar. Ausserdem liess er sich gut bearbeiten.

Um 1840 war ein grosser Teil der östlich gelegenen Waldgebiete urbar gemacht worden. Nunmehr wandten sich die Pioniere gen Westen, wo sie neues jungfräuliches Ackerland zu finden hofften. Jenseits des Missisippi hörte aber der Wald auf und die Prärie trat an seine Stelle. Wohin man auch blickte, überall war nichts anderes als ein scheinbar endloses Meer von wogendem Gras zu sehen.

Der Kampf mit der Prärie war hart und dauerte lange. Der Boden liess sich nur unter ungeheuren

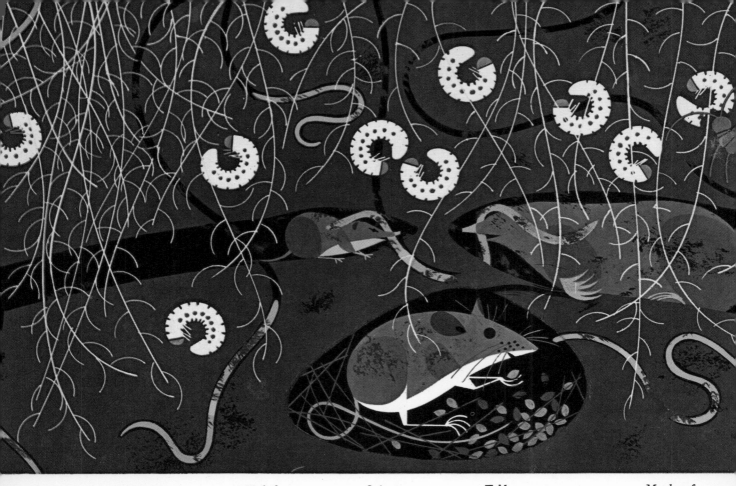

Regenwurm   Käferlarven   Spitzmaus   Feldmaus   Maulwurf

Mühen pflügen, denn die Graswurzeln reichten tief herab und bildeten ein fest ineinandergewirktes Wurzelgeflecht, das der Pflugschar grossen Widerstand bot. Damals waren zum Ziehen des Pfluges nur Ochsen verfügbar, aber ihre Zahl reichte bei weitem nicht aus, weil man für jeden Pflug mehrere Tiere benötigte, um den Widerstand der Graswurzeln brechen zu können. Auf diese Weise kam man bei der Gewinnung von Ackerland in diesem Gebiet zunächst nur langsam voran.

Prärieboden ist tief und dunkel, auch er enthält sehr viel schwarzen Humus. Diese bekanntlich sehr fruchtbare Substanz entsteht aus der Zersetzung pflanzlicher Reste – zum Beispiel verrottenden Wurzeln – die weit herabreichen. Da tiefer Boden kühl ist, zerfallen die Humusstoffe nur langsam; deshalb sind Stickstoffverbindungen und andere Nährsubstanzen ständig in genügender Menge vorhanden. Sie werden auch vom Regenwasser nicht weggewaschen.

Prärieboden unterscheidet sich in wesentlichen Punkten vom Waldboden. Im Wald wird ein sehr grosser Teil der verfügbaren Nährstoffe von den Bäumen gespeichert, ein anderer, nicht unerheblicher Teil wird vom Regen weggewaschen. Beim Grasboden liegen die Dinge anders: der weitaus grösste Teil der vorhandenen Nährstoffe verbleibt im Humusboden, der das Regenwasser wie ein Schwamm aufsaugt. Zerfallende Pflanzenreste werden unter Mithilfe von lebenden Kleinlebewesen zersetzt, der Boden wird gelockert. Die Pflanzen finden also günstige Bedingungen vor. Ihre winzigen Wurzelhärchen können die Feuchtigkeit gut ausnützen und die darin gelösten Nährstoffe leicht verwerten.

Im Grasboden herrscht ein sehr reges Tierleben. Regenwürmer sind eifrig an der Arbeit, Ameisen bauen unterirdische Burgen, unzählige Maden, Larven, Tausendfüssler leben dort. Auch grössere Tiere wie Maulwürfe und Spitzmäuse durchwühlen das Erdreich und lockern es auf, sodass der Boden besser belüftet und vom Regen durchfeuchtet wird.

Die wichtigste Arbeit bei derartigen Bodenverbesserungen leisten mikroskopisch kleine Organismen, die Bodenbakterien genannt werden. (Ein Kubikzentimeter guten Bodens enthält bis zu 100 Mill. dieser Organismen). Besonders wichtig sind jene Bakterien, die fähig sind, den Luftstickstoff zu binden. Andere Bodenbakterien verwerten den Stickstoff, der in abgestorbenen Pflanzen und tierischen Resten enthalten ist.

Schon lange vor dem Eindringen des weissen Mannes in die jungfräulichen Gebiete der Prärie tobte ein ununterbrochener Kampf um die Grenzlinien zwischen Grasland und Wald. Je nach der Windrichtung kamen die Grassamen in den Wald oder Samen der Bäume in die Prärie. In beiden Fällen gingen die Samen in der fremden Umgebung auf – doch dann starben die Sämlinge wieder ab. Im Grasboden konnten sich die »Boten« des Waldes nicht halten, weil sie erstickt wurden, die im Walde aufgegangenen Grassamen wiederum vertrugen den Lichtmangel im Schatten der Bäume nicht. Wo die eine Gruppe vorherrschte, hatte die andere keine Chancen.

Aber hin und wieder gelangen doch grössere »Invasionen« in fremdes Gebiet, die allerdings nur dem Gras vorbehalten waren. Es fand einen Verbündeten in diesem Kampf, nämlich das Feuer. Oft genug entstand durch Blitzschläge Feuer, grössere Waldbrände, auch am Rande der Prärie, brachen aus. Ehe sich neuer Baumbewuchs entfalten konnte, war das Gras vorgedrungen und »besetzte« den Boden. Nach Grasbränden dagegen konnten sich Sämlinge der Bäume nicht entwickeln, denn aus den Wurzeln des nur oberflächlich verbrannten Grases wuchsen bald neue und besonders kräftige Gräser empor. Heute liegen die Dinge anders. Der Wald wird im allgemeinen recht wirksam vor Feuer geschützt und so konnte er in einigen Gebieten etwas von dem verlorenen Boden zurückgewinnen.

Aber weit grössere Veränderungen sind mit jenen riesigen Flächen vor sich gegangen, die einst Prärien waren. Längst sind Herden von Nutzvieh an die Stelle von Bison und Antilope getreten. Der Boden wurde verbessert, das wilde Gras verschwand und wurde durch Getreide ersetzt – denn auch Weizen, Roggen und anderes Getreide sind Graspflanzen, die aber im Laufe langer Zeiträume vom Menschen entscheidend verbessert wurden. So können die ehemaligen Prärien Millionen von Menschen ernähren.

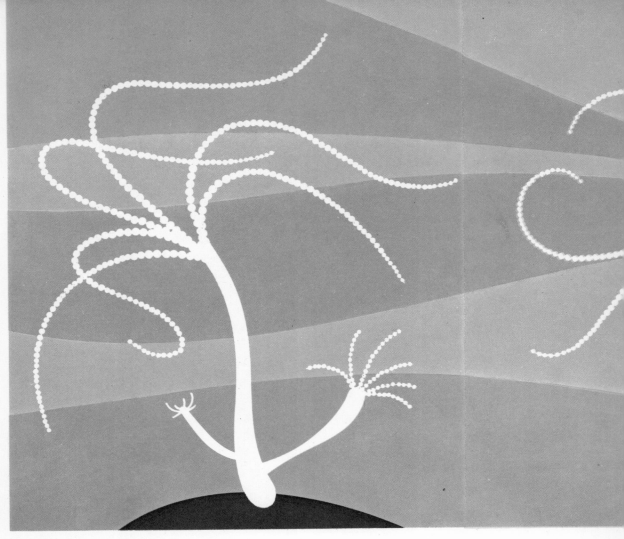

Ungeschlechtliche Vermehrung durch Knospen.

Fortpflanzung und Vermehrung

Zu einem bestimmten Zeitpunkt des Lebens werden Pflanze oder Tier »erwachsen«, das heisst zur Vermehrung befähigt. Um die Vermehrung sicherzustellen, hat die Natur eine Fülle von Möglichkeiten zur Verfügung – von ganz einfachen bis zu sehr komplizierten. Die Amöbe teilt sich, aus einem Lebewesen werden zwei – das ist die Methode der einzelligen Tiere und Pflanzen wie auch der Bakterien.

Schon bei der kleinen Hydra, mit der wir uns bereits beschäftigt haben, wird jene Methodik nicht mehr angewandt. Dieser Süsswasserpolyp bildet »Knospen«, aus denen sich bald neue Polypen entwickeln. Sowie sie ihre Fangarme und den »Mund« gebildet hat, löst sich die Knospe ab und die Nachkommen machen sich selbständig.

Männliche Hydra mit Samenzellen.   *Weibliche Hydra mit Eiern.*

Die Hydra setzt diese Vermehrungsmethode so lange fort, wie die Wassertemperatur in ihrem Wohngebiet hinreichend hoch ist. Mit Beginn des Herbstes geht sie zu einem anderen Reproduktionsverfahren über. An ihrem Körper entwickeln sich Geschlechtszellen, also Eizellen und Samenzellen. Die letztgenannten besitzen eine Art Schwänzchen, das rasch hin und herschlägt. Auf diese Weise bewegen sich die Samenzellen im Wasser und ein Teil von ihnen begegnet den Eizellen. Die Vereinigung erfolgt und damit ist die Befruchtung vollzogen: jeweils eine neue Hydra wird entstehen.

Bei manchen Hydraformen gibt es Männchen und Weibchen, das heisst es werden jeweils nur Samenzellen oder Eier gebildet. Wir finden also schon bei diesen primitiven Lebewesen die Trennung in zwei Geschlechter und damit das gleiche Prinzip, wie es die Natur bei den höheren Organismen anwendet.

Die Fortpflanzung durch zwei Geschlechter bringt zweifellos gewisse Komplikationen mit sich. Es ist ja notwendig, dass die Spermien und Eier zusammentreffen und die Lösung dieser Aufgabe ist in vielen Fällen keineswegs einfach. Aber sie gelingt immer, weil die Natur auf diesem Gebiet mit den verschiedensten und immer erfolgreichen Methoden arbeitet.

So gibt es zahlreiche Bewohner des Meeres, bei denen eine Begegnung von Männchen und Weibchen nicht notwendig ist. Nehmen wir den Seestern als Beispiel. Ein solches Tier erkennt das Geschlecht eines anderen Seesterns nicht, das ist auch keineswegs notwendig, denn die Fortpflanzung erfolgt sozusagen auf überindividuellem Wege. Die Natur hat diesen Tieren wie vielen anderen Meeresbewohnern Drüsen gegeben, von denen männliche resp. weibliche Fortpflanzungszellen ins Wasser entleert werden. Millionen von Spermien und Eier gehen sozusagen zwecklos zugrunde – sie treffen nicht zusammen. Aber ihre Menge ist so gewaltig, dass auf jeden Fall eine genügende Anzahl von Seesterneiern befruchtet wird. Aus ihnen schlüpfen winzige Lebewesen, die zunächst frei im Wasser umherschwimmen, sich dann aber auf dem Meeresgrund niederlassen und zu »richtigen« Seesternen entwickeln.

Diese Methodik ist im Lebensraum des Wassers ohne weiteres durchführbar, denn dort bleiben die Keimzellen ziemlich lange am Leben. So besteht eine hinreichend grosse Chance dafür, dass genügend zahlreiche Begegnungen zwischen Eiern und Spermien erfolgen. Aber auf dem Lande sind die Bedingungen anders. Wenn die Keimzellen schutzlos der Luft ausgesetzt würden, dann gingen sie nach kurzer Zeit durch Eintrocknung zugrunde.

Nehmen wir die Blütenpflanzen als Beispiel, die sich bekanntlich durch die Bildung von männlichen und weiblichen Keimzellen vermehren. Die Pollenkörner müssen die Narbe, also den weiblichen Teil der Blüte, erreichen und sie bestäuben. Das geschieht in vielen Fällen mit Hilfe des Windes, der den leichten Blütenstaub emporhebt und über weite Entfernungen dahinträgt. Manche Pflanzen, die Gartenerbse zum Beispiel, befruchten sich mit den eigenen Pollen, aber das ist keineswegs die Regel.

Früher hatte man angenommen, Schönheit und Duft der Blüten hätten vor allem den Zweck, den Menschen zu erfreuen. Diese Illusion schwand, als sich herausstellte, dass jene Düfte ebenso wie die schönen Formen von Blüten in erster Linie den Zweck haben, Insekten anzulocken. Sie spielen bei der Bestäubung eine grosse Rolle und der von den Blüten gelieferte Nektar ist sozusagen der Preis für die Arbeit der Bestäuber. Sie werden mit dem Pollenstaub eingepudert und bringen ihn so von Blüte zu Blüte, ohne von der Bedeutung ihrer Tätigkeit etwas zu wissen.

Partnersuche bei Leuchtkäfern

In manchen Fällen ist es für die Tiere recht schwierig, den Partner zu finden, weil er versteckt lebt oder aus anderen Gründen nicht ohne weiteres zu entdecken ist. Nun, die Natur sorgt auch da wieder einmal für einen Ausweg.

Jeder von uns hat an warmen Sommerabenden die leuchtenden Spuren der Glühwürmchen beobachtet. Diese Tiere besitzen besondere Drüsen, mit deren Hilfe kaltes Licht erzeugt wird. Die Männchen fliegen im Dunkeln umher und geben wie winzige Flugzeuge ihre Lichtsignale ab. Unten am Boden sitzen die Weibchen – und warten. Wenn ein Männchen in der Nähe des Weibchens »blinkt«,

Lebensgeschichte einer Pflanze: Blüte, Samen, neue Pflanze.

dann erhält es in gleicher Weise Antwort. Nach dem Austausch einiger weiterer Signale findet das Männchen den Weg zum Weibchen und die Paarung erfolgt.

Natürlich haben die Leuchtkäfer – es gibt mehr als 2000 verschiedene Arten von ihnen – die Verständigung und das Treffen am Boden nicht »geplant«. Sie können ja keine Überlegungen anstellen, sondern handeln rein instinktmässig. Die Natur hat ihnen die Fähigkeit des richtigen Reagierens auf die arteigenen Lichtsignale mitgegeben – schon vor Tausenden oder vielleicht Millionen von Jahren wandten ihre Vorfahren die gleiche Methode an.

Das System hat Erfolg, weil sich die Männchen wie die Weibchen in ganz bestimmter Weise verhalten. Es würde nicht funktionieren, wenn beide Geschlechter fliegen oder beide am Boden aufeinander warten würden. Dann müsste die Zahl der Begegnungen ganz erheblich abnehmen, weil in der Hälfte der Fälle die Männchen anderen Männchen und die Weibchen anderen Weibchen begegneten. Das aber wird auf die geschilderte Weise wirksam verhindert.

Nun ist die Methode der mit »Signallichtern« ausgestatteten Leuchtkäfer nur eine von vielen. Die meisten Schmetterlinge zum Beispiel verfügen über einen erstaunlich guten Geruchsinn, der die Geschlechter zusammenführt. Der berühmte Insektenforscher *Fabre* hat dazu ein recht interessantes Ex-

periment unternommen. Er suchte in einem bestimmten Gebiet seit längerer Zeit den dort seltenen Eichenspinner, konnte aber keinen dieser Schmetterlinge fangen. Dann erhielt er eine Puppe, aus der ein weiblicher Eichenspinner schlüpfte. Er setzte das Tier unter ein Drahtgeflecht ans Fenster seines Zimmers — und nach kurzer Zeit hatten sich nicht weniger als 60 männliche Exemplare des seltenen Eichenspinners eingefunden. Sie waren ausschliesslich durch ihren hervorragenden Geruchsinn zu dem Weibchen geführt worden. Dieses Verfahren ist besonders für Nachtschmetterlinge sehr wichtig. Sie verfügen nicht, wie die Glühwürmchen, über Signallichter — daher sitzt das Weibchen irgendwo und lockt die Männchen durch seinen Geruch an. Das funktioniert in allen Fällen durchaus zuverlässig.

Der Gesang der Grillen

Auf jeder sommerlichen Wiese kann man den »Gesang« der Heuschrecken, Grillen und Zikaden hören. Es handelt sich um Liebesgesänge, die auf verschiedene Art und Weise von den Männchen »produziert« werden. Bei den Grillen und manchen Heuschrecken entstehen die werbenden Töne durch Aneinanderreiben der Flügel. Andere Heuschrecken »geigen« mit ihrem Oberschenkel, der eine Zahnleiste trägt, über eine scharfe Flügelkante. Auf diese Weise können ganz verschiedenartige Töne erzeugt werden, darunter der gewöhnliche Gesang und der sogenannte Rivalengesang. Er wird angestimmt, wenn mehrere Männchen gleichzeitig um die Gunst eines Weibchens werben.

Die Zikaden, Grillen und Heuschrecken besitzen zum Teil sehr eigenartige Hörorgane. Sie sind mit einem Trommelfell versehen, befinden sich aber an recht merkwürdigen Stellen wie am Hinterleib oder an den Vorderbeinen. Im übrigen werden die Weibchen jeweils nur vom Liebesgesang eines Artgenossen angezogen. Sie können ihn genau von allen anderen Tönen der übrigen Insekten unterscheiden und folgen ihm.

Männchen und Weibchen der Nachtschmetterlinge und der Glühwürmchen finden sich im Dunkeln.

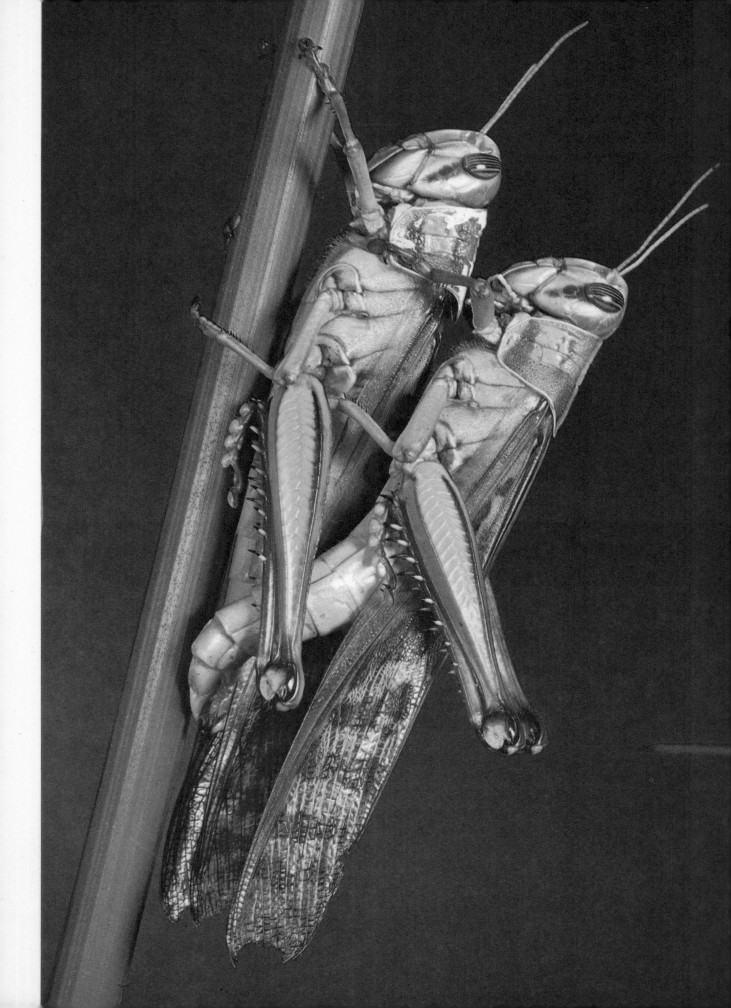

Erkennungszeichen der Vögel

Singvögel scheinen besondere »Erkennungssignale« zum Auffinden des Partners eigentlich nicht nötig zu haben. Sie fliegen im hellen Tageslicht umher, in den meisten Fällen hat jedes Geschlecht besondere Kennzeichen am Gefieder. Trotzdem hat die Natur den Männchen als gewissermassen zusätzliches Verständigungsmittel den Gesang gegeben.

Singvögel »melden« durch ihren Gesang: Dieser Nistplatz ist besetzt!

Wenn es Frühling wird, kommen die Singvögel aus ihren Winterquartieren im Süden zurück. Die Reise nimmt einige Zeit in Anspruch, denn es müssen genügend Pausen für das Ausruhen und die Futtersuche eingeschaltet werden. Aber eines Tages ist es soweit, und die Singvögel sind da. Meistens kommen zuerst die Männchen, die von ihrem Instinkt an die Stelle geführt werden, wo sie im vorigen Jahr das Nest gebaut hatten. Und nun geschieht etwas Merkwürdiges. Ein kleiner Vogel setzt sich auf einen bestimmten Baum oder Busch und stimmt mit voller Kraft sein Lied an. Singt er vor lauter Freude?

Das mag zwar auch der Fall sein, vor allem aber steht der Gesang im Dienste der Sicherung des Wohngebiets. »So weit meine Stimme zu hören ist, so weit reicht mein Herrschaftsbereich«: das verkündet der Gesang des Männchens. Es verteidigt sein Gebiet erbittert gegen Artgenossen, während andere Vögel geduldet werden. Durch den Gesang wird mitgeteilt, dass ein bestimmtes Revier – mag es gross oder klein sein – besetzt ist. Im allgemeinen werden solche »Erklärungen« respektiert, meist ist ja genügend Platz vorhanden, zumal die Ansprüche der Singvögel nicht sehr gross sind.

Bald hört ein bestimmtes Vogelweibchen die »Mitteilung« des Männchens über die Inbesitznahme des Reviers. Auch dieses Weibchen ist in das vertraute Gebiet zurückgekehrt, wahrscheinlich ist es das gleiche, das bereits im vorigen Jahr zu dem Männchen gehört und mit ihm zusammen die Jungen aufgezogen hatte. Das Lied des Männchens führt die beiden wieder zusammen, sie paaren sich, bauen ein Nest und ziehen die neue Brut auf. Beide Eltern sorgen für die Jungvögel und sind den ganzen Tag eifrig bemüht, genügend Futter für die hungrigen Jungen herbeizuschaffen.

Hochzeit der Möwen

Bei den Seevögeln ist das Geschlecht während eines grossen Teils des Jahres gewissermassen unwichtig. Man kann es ihnen auch nicht ansehen. So sehen männliche und weibliche Möwen ganz gleich aus, auch ihre Lautäusserungen sind nicht zu unterscheiden. Das ändert sich erst während der

Paarungszeit. Viele Seevögel, wie die Tölpel zum Beispiel, brüten in grossen Kolonien. Jedes Männchen sucht sich einen günstigen Nistplatz zu erobern und verteidigt ihn erbittert gegen jeden Eindringling.

Wagt sich ein Artgenosse zu nahe heran, dann bedroht ihn das Männchen und stösst mit dem Schnabel nach ihm. Nun kommt es ganz auf die Reaktion des anderen Vogels an. Zieht er sich zurück, dann handelt es sich um ein Männchen oder ein noch nicht paarungsbereites Weibchen. Bleibt aber der »Eindringling« trotz der ersten Abweisung, dann ist es vermutlich ein paarungswilliges Weibchen und so kann die Werbung des Nistplatzbesitzers beginnen.

Er bietet dem »Gast« zunächst Geschenke an: Nahrung oder auch kleine Zweige, Seetang und so weiter. Dann führen die beiden Tiere nach bestimmten Regeln eine Art Tanz auf, dabei berühren sie gegenseitig ihre Schnäbel. Das ist ein Vorspiel zur Paarung, ausserdem lernen sich die beiden Tiere gegenseitig kennen und werden den Partner in Zukunft auch unter Hunderten anderer Brutvögel sofort erkennen.

Für uns sind natürlich die Säugetiere in jeder Beziehung besonders interessant, da wir selbst körperlich zu ihnen gehören. In einem späteren Abschnitt wird noch davon zu sprechen sein, auf welche Weise die Säuger für ihre Jungen sorgen und sie für ihr späteres Leben vorbereiten.

Eine Kolonie von Seevögeln

Die Keimesentwicklung

Fisch und Frosch, Vogel und Insekt, Maus und Mensch – sie alle beginnen ihr Leben als befruchtete Eizelle. Einem solchen Gebilde lässt sich nicht ohne weiteres ansehen, welchen Ursprung es hat. So ähneln menschliche Eizellen – sie sind mikroskopisch klein – äusserlich den Eizellen vieler Säugetiere. Auch ihr Aufbau ist grundsätzlich gleich: es handelt sich um Tröpfchen von Protoplasma, die einen Zellkern enthalten und von einer Zellwand umgeben sind. Nichts lässt zunächst jene wunderbare Kraft erkennen, die aus einer winzigen Zelle ein menschliches Wesen entstehen lässt.

Die Frau erzeugt mehrere Jahrzehnte hindurch Eizellen, die sich in den beiden Eierstöcken bilden. Ungefähr alle 4 Wochen reift ein Ei heran und gelangt in den Eileiter. Wird es dort von einer männlichen Samenzelle befruchtet, dann gelangt es in die Gebärmutterhöhle und nistet sich in deren Schleimhaut zur Fruchtentwicklung ein. Schon vorher hat sich das Ei in zwei Zellen geteilt, nun werden es vier, dann acht und so weiter. Bald ist aus dem winzigen Ei ein immer komplizierter werdendes Zellgebilde entstanden. Es erhält Nahrung und Sauerstoff durch den Blutstrom der Mutter, der es neun Monate lang versorgt. Wenn zwei Eizellen gleichzeitig befruchtet werden, entstehen Zwillinge. Bei vielen Säugetieren, wie bei Katze, Hund, Kaninchen usw., entwickeln sich normalerweise mehrere Eizellen gleichzeitig. Meist sind sie alle befruchtet und so wird das Muttertier gewöhnlich mehrere Jungen haben.

Die Mehrzahl der Tiere aber bringt keine voll entwickelten Jungen zur Welt. An ihrer Stelle werden Eier produziert, die Entwicklung des Embryos vollzieht sich also ausserhalb des Mutterleibes. Solche Eier sind bei Vögeln, Schildkröten, Fröschen, usw. erheblich grösser als die Eizellen der Säugetiere. Das erklärt sich aus der Notwendigkeit, im Ei all die Nahrung unterzubringen, die vom Embryo während seiner Entwicklung gebraucht wird.

Frosch- und Fischeier besitzen keine Schale, sie ist im Wasser nicht nötig. Dagegen brauchen die

Befruchtetes Hühnerei: Zweiter Tag

Siebenter Tag

Vierzehnter Tag

Einundzwanzigster Tag

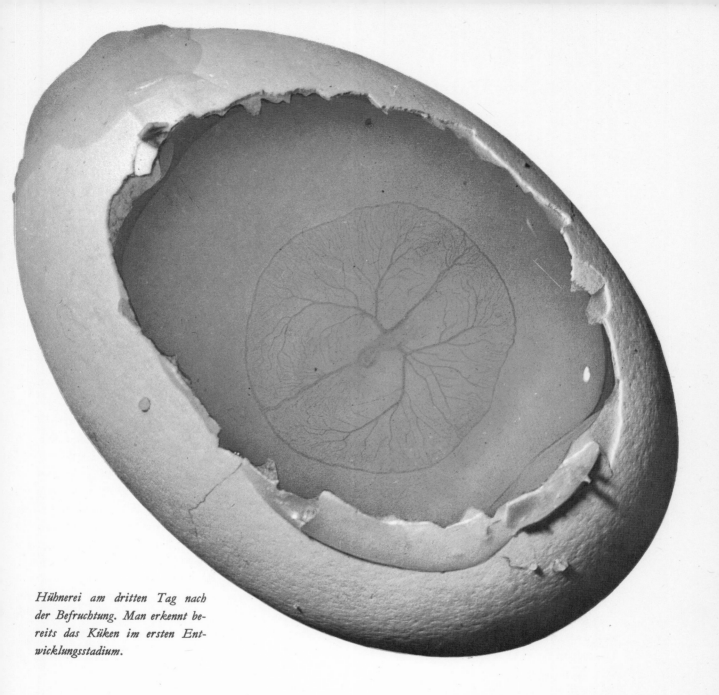

Hühnerei am dritten Tag nach der Befruchtung. Man erkennt bereits das Küken im ersten Entwicklungsstadium.

Eier von Vögeln und Reptilien einen solchen Schutz, um den Embryo vor der Gefahr der Austrocknung zu schützen.

Beim Hühnerei zum Beispiel beginnt die Entwicklung des Embryos an einem winzigen Punkt auf dem Dotter. Der Laie wird das nur selten beobachten können, denn normalerweise essen wir ja unbefruchtete Eier. Immerhin kann es vorkommen, dass sich gelegentlich ein dunkler Fleck auf dem Dotter findet, wir also ein befruchtetes Ei vor uns haben. Im Anfangsstadium besteht das zukünftige Hühnchen allerdings nur aus ein wenig Proto-

plasma, das den Zellkern enthält.

Es ist wahrhaftig eine wunderbare Leistung der Natur, dass aus einem solchen Minimum an »Material« im Hühnerei ein neues Lebewesen gebildet wird. Ein Tier mit Kopf und Körper, Flügeln und Füssen, dessen Organismus die verschiedensten Gewebe enthält und komplizierte Organe bildet. Das alles erfolgt nach ganz bestimmten »Regeln« und Gesetzen, erst durch sie wird das Wunder der Entwicklung eines Lebewesens möglich. Wir wollen uns nun etwas näher damit befassen.

Die ersten Entwicklungsstadien

Während der ersten Stunden ihrer Entwicklung geschieht bei allen befruchteten Keimzellen grundsätzlich das Gleiche. Man kann sich daher bei solchen Untersuchungen auf bestimmte Objekte dieser Art beschränken. Die Resultate sind sozusagen allgemeingültig. Besonders häufig wird zu Untersuchungszwecken Froschlaich verwendet; dieses Material ist verhältnismässig leicht zu beschaffen, etwa von Fröschen, die im Laboratorium gehalten werden.

Die befruchtete Eizelle des Frosches zeigt schon nach kurzer Zeit die ersten, deutlich erkennbaren Veränderungen. Die Entwicklung beginnt mit der Periode der sogenannten Furchungsteilung. Zunächst biegt sich die Oberfläche des Eis nach innen, es entsteht ein Einschnitt, der sich rasch vertieft und zwei Zellen bildet. Sie bleiben beieinander, und das Gebilde setzt die Teilung fort. Erst entstehen 4, dann 8, dann 16 Furchungszellen und so geht es weiter. Während sich die Zellen immer weiter teilen, weichen sie auseinander und bilden nunmehr eine feinzellige Hohlkugel, die sogenannte Keimblase oder Blastula.

Zunächst sieht die Oberfläche der Hohlkugel noch ziemlich regelmässig aus. Dann aber stülpt sich der Keim ein, die Einbuchtung vertieft sich und bald sieht die Zelle wie ein winziger Gummiball aus, bei dem eine Stelle eingedrückt ist. Diese Einbuchtung wird noch tiefer und bildet eine Art Röhre. Das ist der Anfang zur Entwicklung der Leibeshöhle, in der später Herz, Magen, Därme und andere Organe ihren Platz finden. Der Keim ähnelt jetzt einem Sack mit doppelten Wänden,

er hat das Stadium der sogenannten Gastrula, des Becherkeims, erreicht. Die Zellen sehen noch gleich aus, sind es aber in Wirklichkeit schon in diesem frühen Entwicklungsstadium nicht mehr.

Bei zahlreichen Versuchen wurden kleine Stückchen eines solchen Gebildes an verschiedenen Stellen entnommen und man liess sie unter den entsprechenden Bedingungen allein weiterwachsen. Dabei ergab sich, dass die Zellen bereits für bestimmte Aufgaben festgelegt sind. Manche Zellen liefern das Baumaterial für das Gehirn, andere für die Bauchhaut, für die Bildung von Nerven und so weiter.

Die Spezialisierung der Zellen

Der deutsche Biologe und Philosoph Hans Driesch hat solche Fragen schon vor Jahrzehnten experimentell untersucht. Als Versuchsobjekt verwendete er den Seeigel, einen kleinen, stachligen Bewohner des Meeresgrundes. Driesch wartete, bis ein befruchtetes Seeigelei die beiden ersten Furchungszellen gebildet hatte und trennte sie dann mit Hilfe eines menschlichen Haares voneinander. Was würde nun geschehen? Würde jede ein halbes Tier bilden? Nein, das geschah keineswegs, sondern aus jeder der beiden Zellen entwickelte sich ein ganzes, fehlerloses Tier. Die Zellen waren also vollkommen gleich. Es kommt vor, dass ein derartiger Vorgang gewissermassen von selbst stattfindet, sich also Zellen nach der ersten Teilung auf natürliche Weise voneinander trennen. Das kann auch mit einer befruchteten menschlichen Eizelle geschehen, wobei beide nun entstandenen

Zellen je einen Embryo bilden. Auf diese Weise entstehen die eineiigen (identischen) Zwillinge – kein Wunder, dass sie einander in körperlicher und psychischer Beziehung völlig gleichen.

Bei Versuchen mit Salamandern gelang es Professor Driesch sogar, Vierlinge einfach dadurch zu erzeugen, dass er die befruchtete Eizelle erst trennte, nachdem sich vier Furchungszellen gebildet hatten. Daraufhin unternahm er das gleiche im Achtzellenstadium sowie nach der vierten Teilung, als sich bereits 16 Furchungszellen gebildet hatten. Noch immer entwickelten sich vollständig normale Tiere. Driesch konnte zum Beispiel aus einer einzigen befruchteten Eizelle nicht weniger als 16 Salamander erhalten! Damit war bewiesen, dass bis zu einem bestimmten Stadium der Entwicklung alle Teile des Embryos gewissermassen gleichartig blieben – erst irgendwann nach der vierten Teilung setzte die Spezialisierung ein. Aber wann und auf welche Weise begann sie?

Wir verdanken die Lösung dieses Problems einem anderen deutschen Biologen, Professor Hans Spemann, der für diese Untersuchungen den Nobelpreis erhielt.

Er nahm zwei Molchkeimen im frühen Stadium ihrer Entwicklung (Blastula) kleine Gewebsstückchen heraus. Ein Stück aus dem Gebiet der zukünftigen Bauchhaut dem einen Keim, ein Stück zukünftiges Gehirn dem anderen. Diese beiden Gewebeteile wurden nun den Keimen wieder eingesetzt, aber Spemann vertauschte sie. In den Be-

reich des zukünftigen Gehirns kam also ein Stück Gewebe, das an sich zur Bildung von Bauchhaut bestimmt war und umgekehrt. Beide Teile wuchsen glatt ein und entwickelten sich »ortsgemäss«. Die zukünftigen Hirnzellen wurden also zu einem Stückchen Bauchgewebe und die eigentlich zur Bildung von Bauchhaut bestimmten Teile bildeten Hirnsubstanz.

Wiederholte man den Eingriff in einem späteren Stadium des Keims, dem Gastrula-Stadium, dann verlief er ganz anders. Die herausgeschnittenen Gewebeteile fügten sich ihrer neuen Umgebung nicht mehr ein, sondern entwickelten sich nunmehr »herkunftsgemäss«. Ein Stückchen aus den zukünftigen Hirnzellen bildete am Bauch des werdenden Tieres Hirnsubstanz, während ein Stück zukünftige Bauchhaut im Gehirn Haut produzierte!

Ein Froschei (vergrössert). Die Zeichnungen machen die verschiedenen Stadien der Teilung des Eis und der weiteren Entwicklung deutlich.

Ein ähnlicher Versuch wurde mit Salamander-
embryonen durchgeführt, sie gehörten zwei Arten
durchaus verschiedener Grösse an. Man übertrug
jeweils Gewebe, aus dem sich später eines der
Augen entwickelt, von dem einen Tier auf das
andere und wartete nun ab, was geschehen würde.
Das Ergebnis war sehr interessant. Beide Embryonen wuchsen zu Salamandern heran, deren Gestalt
normal war – mit Ausnahme der Augen. Jeweils
nur eines dieser Organe war normal entwickelt,
das zweite war »falsch«. Der grosse Salamander
nämlich besass neben dem normalen ein kleines,
der kleine Salamander ein grosses Auge. Diese
Anomalien waren durch die Gewebeüberpflanzung
entstanden.

Spemann hat gezeigt, dass ein bestimmter Teil des
Keimes dazu befähigt ist, die zukünftige Form zu
organisieren. Es handelt sich um jenen Teil des
Blasenkeims, der bei der Umbildung zum Becher-
keim (Gastrula) gewissermassen den Einrollungs-
rand bildet. Die Biologen nennen diese Einstül-
pungsöffnung den Urmund und ihren Rand die
obere Urmundlippe. Ihre Zellen produzieren organisierende Substanzen; Spemann hat daher jenen Keimbezirk als »Organisator« bezeichnet. Offensichtlich erfolgen die Wirkungen des Organisators auf chemischem Wege, es werden Fermente
und andere Steuerungsstoffe gebildet, die ihrerseits
formorganisierend wirken.

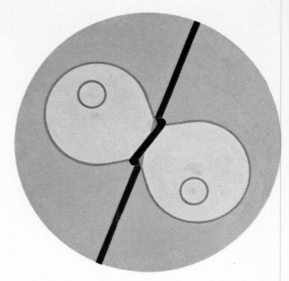

Ein Seeigelei im Zweizellenstadium wird mit einem
Haar durchgeschnürt.

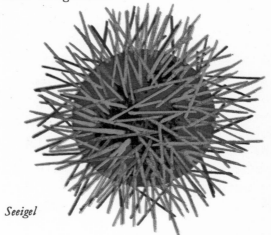

Seeigel

So gelang es Hans Driesch, zwei Seeigel aus einem Ei
zu erhalten.

Das wurde auf folgende Weise nachgewiesen. Man
schnitt einem Froschkeim im Gebiet der zukünftigen Mundregion etwas Gewebe weg und setzte es
bei einem jungen Molchkeim an die Stelle, wo sich
später der Mund bilden würde. Unter dem Einfluss
des Organisators entstand nun tatsächlich die an
jener Stelle vorgesehene Bildung – aber es war

Ein anderes Versuchsergebnis: Zwei
Salamander mit ungleichen Augen.

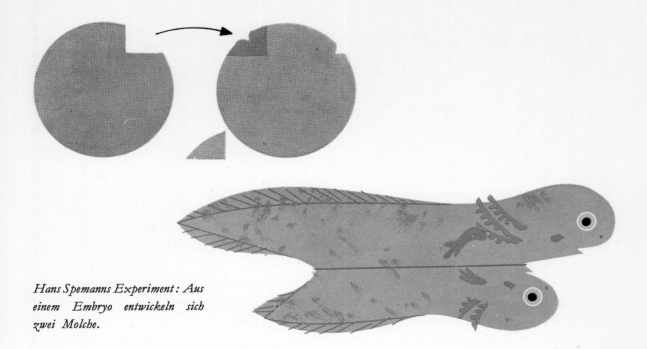

Hans Spemanns Experiment: Aus einem Embryo entwickeln sich zwei Molche.

nicht das Maul eines Molches, sondern eines Frosches!

Man weiss heute, dass die organisierende Substanz ihre Wirkungen keineswegs auf das Individuum beschränkt, in dem sie sich bildet. Das wurde auf folgende Weise nachgewiesen. Entnimmt man einem Molchkeim im frühen Gastrulastadium etwas Material von der oberen Urmundlippe und pflanzt es einem anderen Molchkeim etwa an der Bauchseite ein, dann geschieht etwas sehr Merkwürdiges. Die Zellen verhalten sich so, als ob sie überhaupt nicht verpflanzt worden wären und »arbeiten« weiter, allerdings auf seltsame Weise. Sie veranlassen nämlich den Molchkeim, seinerseits ein »falsches« Organsystem zu bilden. An der Bauchseite des Keims entstehen – zusätzliche – Anlagen wie ein Nervensystem, Sinnesorgane mit Augen, Ohren und so weiter. Das heisst, der zu dem Experiment verwendete Molchkeim produziert alle möglichen – und in diesem Fall durchaus überflüssige – Organe, weil ihre Bildung durch das Material des Organisators bewirkt wird.

Offensichtlich haben derartige Steuerungsstoffe die entscheidend wichtige Aufgabe, den Bau des neu entstehenden Lebewesens gewissermassen zu leiten. Mit fortschreitender Entwicklung des Embryos spezialisieren sich die Zellen mehr und mehr. Die Gewebe und Organe entstehen, und alles läuft genau nach dem »inneren Ziel« all dieser Vorgänge ab. Die Organisation dieser Entwicklung erfolgt offensichtlich stufenweise, die Steuerungsstoffe »instruieren« die Zellen, wie sie sich jeweils weiter zu verhalten haben. Aber natürlich können nur Wachstumsvorgänge ausgelöst werden, von denen die Zellen schon »wissen«. Sie besitzen gewissermassen ein Reaktionsschema, das sie zu den jeweils im Bauplan liegenden Reaktionen veranlasst. So vollzieht sich die Entwicklung des Embryos unter »Leitung« des Organisators in einer hierarchisch aufgebauten Folge von immer höher werdenden Bildungen. Jede von ihnen hat funktionelle Sonderleistungen zu erfüllen und ruft ihrerseits weitere neue Bauleistungen hervor. Jeder Schritt erfolgt zur genau richtigen Zeit, alles ist aufeinander abgestimmt.

Fehler kommen bei diesen unendlich komplizierten Bauleistungen der lebenden Substanz verhältnismässig selten vor und sind meist nicht allzu schwerwiegend. Gewiss kann ein Frosch oder ein Menschenkind mit irgendeiner kleinen oder grösseren Anomalie zur Welt kommen. Aber das geschieht unter 1000 Fällen vielleicht einmal. Die übrigen 999 Lebewesen sind alle genau so entwickelt, wie sie sein sollen, sie sind Geschöpfe von wunderbarer Vollkommenheit ihres Aufbaus und ihrer Funktionen.

Das Geheimnis der Vererbung

Kaum ein anderes Forschungsgebiet ist für jeden von uns so wichtig wie die Wissenschaft von der Vererbung. Schliesslich hängen wir alle weitgehend davon ab, welche Eigenschaften wir von unseren Eltern und Voreltern ererbt haben. Bekannte sagen uns vielleicht, dass wir die Nasenform vom Vater, die Augen von der Mutter hätten – und ein bestimmter Charakterzug stamme vom Grossvater. Etwas Wahres mag an solchen Behauptungen sein, das zeigen uns schon die alten Bilder im Familienalbum.

Dieser oder jener Vorfahre sieht uns ähnlich, gewisse Züge tauchen auf den Bildern immer wieder auf und manches haben wir selbst mit ihnen gemeinsam. Und doch zeigt jedes Familienmitglied seine besondere Prägung. Auch Geschwister können ganz verschieden aussehen, wenn es sich nicht gerade um eineiige Zwillinge handelt. Jedes Kind, das geboren wird, ist das Resultat aus dem unübersehbar vielfältigen Spiel der Erbanlagen. Ihre Kombination bestimmt die inneren und äusseren Eigenschaften weitgehend, wenn auch keineswegs ausschliesslich.

Die moderne Züchtungsforschung ist erfolgreich bemüht, Tier- und Pflanzenrassen zu schaffen, die den Wünschen und Bedürfnissen des Menschen möglichst genau entsprechen. Gründlichere Kenntnisse der Vererbungsgesetze ermöglichen es heute, die jeweils erwünschten Eigenschaften von Pflanzen und Tieren durch Auslese und Kreuzung herauszuzüchten. Aus diesem Grund steht uns auch eine so grosse Auswahl an erstklassigen Kulturpflanzen und Nutztieren aller Art zur Verfügung. Früher gab es auf diesem Gebiet häufig Misserfolge. Man wählte Pflanzen oder Tiere bestimmter Eigenschaften für die Weiterzucht aus und musste dann feststellen, dass die Nachkommen jene Eigenschaften nicht mehr aufwiesen. Derartige Rückschläge traten so lange auf, als die Gesetze der Vererbung unbekannt waren. Sie sind verhältnismässig spät entdeckt worden und zwar zuerst durch den Augustinerpater Gregor Mendel. Er war Mönch und Gymnasiallehrer in Brünn, wobei ihm genügend Zeit blieb, sich ausgiebig seinem Stekkenpferde zu widmen: der Pflanzenzucht. Aber er betrieb sie keineswegs um ihrer selbst willen, sondern aus rein wissenschaftlichem Interesse. Mendel ging von dem Gedanken aus, dass man dem Geheimnis der Vererbung am besten durch Kreuzungsversuche näherkommen könnte.

Wenn man zwei Pflanzenrassen miteinander kreuzt, dann werden sich in den so erhaltenen Nachkommen auch verschiedenartige Erbeigenschaften zusammenfinden. Prüft man dann die jeweiligen Einzelmerkmale wie Blütenfarbe, Ausbildung der Samen und so weiter in einer ganzen Reihe von Generationen, dann müssen sich wichtige Anhaltspunkte über die Art und Weise ihrer Vererbung finden lassen. Für seine Experimente wählte Mendel zunächst Erbsenpflanzen. Sie waren für seine Zwecke besonders geeignet, da sie sich selbst bestäuben und daher leicht reinrassig zu halten sind. Als Mendel sicher war, dass jene Bedingung erfüllt war, bestäubte er Erbsenblüten mit den Pollen einer anderen Erbsenrasse. Die aus solchen Kreuzungen erhaltenen Pflanzen züchtete er weiter – über viele Generationen hinweg. Die Experimente nahmen Jahre in Anspruch. Mendel untersuchte die Vererbungsvorgänge an Zehntausenden von Pflanzen verschiedener Art und führte genaue Aufzeichnungen über alle Ergebnisse dieser mühsamen Arbeit. Auf diese Weise entdeckte er die Gesetze, nach denen sich die Vererbung vollzieht. Da sie für alle Lebewesen in gleicher Weise gelten, kann ihre Kenntnis jedem von uns dabei helfen, sich über die eigenen Erbanlagen und die auf sie zurückgehenden Eigenschaften etwas näher zu orientieren.

Zahlenspiele der Natur

Bei seinen Versuchen kreuzte Mendel eine Erbsenrasse, die gelbe Samen hat, mit einer anderen, deren Samen grün sind. Dann wartete er, bis sich reife Schoten entwickelt hatten und sammelte die gewonnenen Samen ein. Er nannte sie Hybriden, was Bastard aus einer Kreuzung bedeutet, und dieser Ausdruck hat sich in der Wissenschaft durchgesetzt.

Jene Samen zeigten sämtlich eine gelbe Farbe, das war überraschend. Weshalb gab es bei dieser Kreuzung keine grünen Samen mehr?

Mendel experimentierte weiter, er säte die Hybridensamen aus und zog insgesamt 258 Pflanzen auf. Sie blühten, befruchteten sich wiederum selbst und bildeten Samen, also die zweite Generation der Hybriden. Als Mendel die Schoten öffnete, gab es eine neue Überraschung: sie enthielten sowohl gelbe wie grüne Samen.

Das konnte nur eines bedeuten: die Samen der ersten Generation – obwohl selbst gelb – enthielten einen »Faktor«, der an die Samen der zweiten Generation weitergegeben wird. Er bewirkte, dass sich bei Mendels Versuch auch grüne Samen bildeten. Der gründliche Forscher zählte 8023 Samen bei der zweiten Hybridengeneration. Von ihnen waren 6022 gelb und 2001 grün, was einem Verhältnis von 3 zu 1 entspricht. Was hatte das zu bedeuten? Mendel ging dieser Frage nach, er brauchte dazu noch mehr Tatsachen.

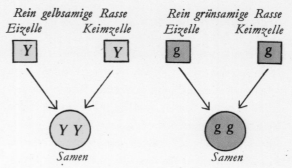

Diagramm 1. Versuch mit reinrassigen Pflanzen. Y ist der Erbfaktor für gelbe Samenfarbe, g ist der Faktor für grüne Samenfarbe. Jede Geschlechtszelle liefert einen Erbfaktor, also besitzt der Samen ein Paar. Bei der gelbsamigen Rasse gibt es zwei Erbfaktoren für Gelb. Bei der grünsamigen Rasse finden sich zwei Erbfaktoren für Grün.

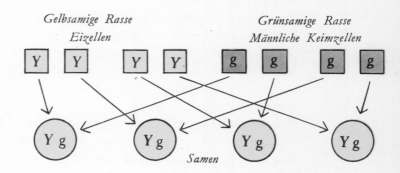

Diagramm 2. Kreuzung einer gelbsamigen mit einer grünsamigen Rasse ergibt Hybridensamen (Bastarde). Alle Samen sind gelb, aber sie besitzen Erbfaktoren für gelbe und grüne Samenfarbe.

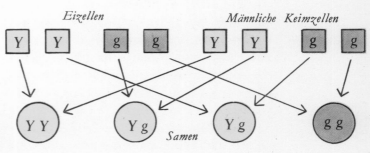

Diagramm 3. Zucht einer zweiten Hybridengeneration. Ein Viertel der Samen hat die Kombination grün-grün, daher sind diese Samen grün. Bei den anderen Samen sind die Faktorenpaare gelb-gelb und gelb-grün, daher sind diese Samen gelb gefärbt.

Mendels Entdeckungen

Bei den nächsten Versuchen wurden zunächst Pflanzen aus den grünen Samen gezogen und durch Selbstbefruchtung vermehrt. Wiederum gab es nur grüne Samen und so blieb es in allen weiteren Generationen. Als aber mit den gelben Samen der gleiche Versuch unternommen wurde, war das Ergebnis anders: in der dritten Generation wurden sowohl gelbe wie grüne Samen gebildet. Jetzt war der Zusammenhang klar; das Nähere zeigt die Zeichnung auf Seite 57.

Mendel nahm an, dass jede der pflanzlichen Eizellen und jedes Pollenkorn nur einen Farbfaktor besass: entweder gelb oder grün. Bei der Befruchtung steuerten die männlichen wie die weiblichen Zellen ihren Faktor bei; es entstand also je ein Paar Farbfaktoren für die Samen. Handelt es sich um eine rein gelbsamige Sorte, dann kam die Anlage »gelber Samen« von beiden Seiten und daher würde die nächste Generation nur gelbsamig sein. Entsprechendes hatte für die Anlage »grüner Samen« zu gelten. (Diagramm 1)

Kreuzte man aber Pflanzen mit gelben und grünen Samen, dann steuerten Eizelle und Pollen zwei verschiedene Anlagen für die Samenfarbe bei. (Diagramm 2) Folglich musste auch der in der nächsten Generation gebildete Samen die Anlagen »grüne Samenfarbe« und »gelbe Samenfarbe« besitzen. Aber das Experiment hatte gezeigt, dass alle Samen der ersten Hybridengeneration gelb gefärbt waren! Das Merkmal »gelber Samen« dominierte also über das Merkmal »grüner Samen«, und deshalb nennt man diese Vererbungsform dominant, vorherrschend. Der grüne Farbfaktor dagegen war schwächer, er wurde vom gelben Faktor überdeckt. Das nennt man die rezessive Form der Vererbung. (Nach dem lateinischen Wort recedere = zurückweichen).

Aber natürlich war der grüne Farbfaktor keineswegs verschwunden, das bewies bereits die zweite Generation, bei der ein Viertel der Samen grün war. Diagramm Nr. 3 macht die Ursache deutlich. Bei der ersten Generation besass etwa die Hälfte der Geschlechtszellen den Farbfaktor »gelb« und die andere Hälfe den Faktor »grün«. Als sich die Geschlechtszellen bei der Befruchtung vereinigten,

gab es drei Kombinationsmöglichkeiten der Farbfaktoren: gelb-gelb, gelb-grün, grün-grün.

Alle drei Faktorenkombinationen waren in den Samen der zweiten Generation enthalten. Aber sie konnten sich nicht in gleicher Weise auswirken, weil der gelbe Farbfaktor dominant vererbt wird. Daher ergab sich erstens die Kombination gelb-gelb und zweitens entstanden ebenfalls gelbe Samen aus der Kombination gelb-grün. Die grüne Farbe konnte nur bei Samen auftreten, in denen der Faktor grün zweimal vorhanden war.

Damit wird auch verständlich, weshalb zum Beispiel zwei braunäugige Menschen ein Kind mit blauen Augen haben können. Wie im Falle der Samenfarbe bei Erbsen wird auch die Augenfarbe durch die beteiligten Erbfaktoren bestimmt. Vater wie Mutter hatten von ihren Eltern den Faktor für braune Augen, neben ihm aber auch den Faktor für blaue Augen geerbt. Nun dominiert die Anlage für »braunäugig« über die Anlage für »blauäugig« und deshalb hatten Vater wie Mutter braune Augen. Aber bei der Zeugung des Kindes traten die rezessiven Anlagen für »blauäugig« von Vater und Mutter zusammen und so hatte es blaue Augen.

In dem als Beispiel genommenen Fall ist die Wahrscheinlichkeit des Auftretens der dominant vererbten braunen Augenfarbe für jedes Kind grösser als ein Auftreten des rezessiven Merkmals. Da aber von den Erbanlagen beider Eltern jeweils nur die Hälfte an das Kind weitergegeben wird, sind die verschiedenen Kombinationen möglich. Was für die Augenfarbe gilt, kann beispielsweise auch für die ebenfalls dominant vererbten Eigenschaften »gerade Nase« oder »dunkles Haar« gelten.

Heute erscheinen uns solche Feststellungen ganz einfach, aber man kann sich vorstellen, welche unendliche Arbeit Mendel damals zu leisten hatte, als man von den Gesetzen der Vererbung so gut wie nichts wusste. Mendel hat mit genialem Spürsinn und einer enormen Arbeitskraft seine Experimente durchgeführt und damit entscheidend wichtige Fortschritte erzielt. Seine Ergebnisse prüfte er wieder und wieder, ständig wurden neue Fragen gestellt und auf neuartige Weise beantwortet.

Er kreuzte Pflanzenrassen, die verschiedene Eigenschaften aufwiesen, etwa grüne und gelbe Samen, rote und weisse Blütenfarbe, verschiedene Stellungen der Blüten an der Pflanze und so weiter. Dabei ergab sich immer wieder, dass die Hybriden der zweiten Generation jene Eigenschaften in jeder möglichen Kombination aufwiesen. Aber für jedes Faktorenpaar mit entgegengesetzten Merkmalen ergab sich, dass jene Merkmale stets im Verhältnis von drei dominant zu einer rezessiv vererbten Eigenschaft auftraten.

Mendel veröffentlichte die Ergebnisse seiner langjährigen Arbeiten 1865 in einer wenig gelesenen wissenschaftlichen Zeitschrift, und die Biologen nahmen von seiner Arbeit zunächst keine Notiz. Seine Entdeckungen mussten erst von drei Forschern – Correns, Tschermak, de Vries – Jahrzehnte später wiederholt werden, ehe ihre eigentliche Bedeutung erkannt wurde. Noch lange nach Mendels Tod blieb die Natur der Erbfaktoren ein Geheimnis und sehr viel Forschungsarbeit war nötig, um es schliesslich zu lösen. Dabei wurde festgestellt, dass sich die Erbfaktoren genau so verhalten, wie Mendel vorausgesagt hatte. So hat sein wissenschaftliches Lebenswerk nachträglich volle Anerkennung gefunden.

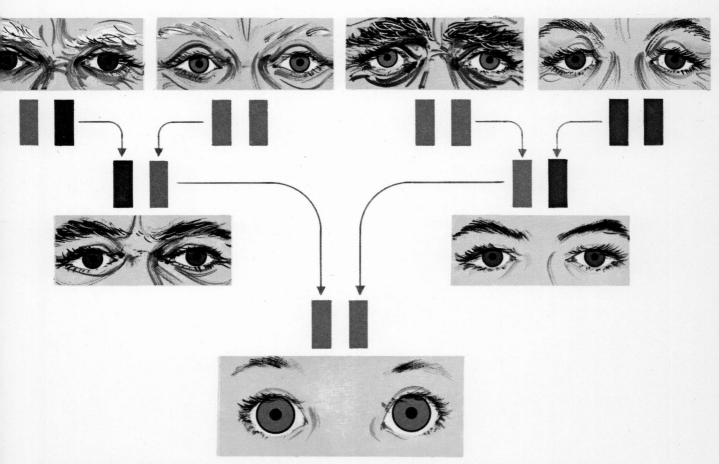

Ein Kind kann blauäugig sein, obwohl seine Eltern braune Augen haben. Vater und Mutter hatten von ihren Eltern sowohl den Erbfaktor »blauäugig« als auch »braunäugig« geerbt. Da »braunäugig« aber bei ihnen dominierte, haben beide braune Augen. Im Kind trafen sich nun von beiden Partnern die Erbfaktoren »blauäugig«, und so hat das Kind blaue Augen.

Die Träger der Vererbung

In den letzten Jahrzehnten des vorigen Jahrhunderts bemühten sich die Forscher, mit Hilfe des Mikroskops Einzelheiten über Vorgänge in lebenden Zellen zu gewinnen. Der deutsche Biologe Walther Flemming sah bei der Beobachtung des durchsichtigen Gewebes von Wassertieren Zellen in verschiedenen Phasen ihrer Teilung. Um diese Vorgänge besser erkennen zu können, verwendete Flemming bestimmte Färbemittel, mit denen er die Strukturen der Zelle deutlicher sah.

Bald besass der Gelehrte eine ganze Sammlung von gefärbten Gewebeproben und darunter befanden sich zahlreiche in der Teilung begriffene Zellen. Ihr Gefüge war in verschiedener Weise angeordnet, offensichtlich war es Flemming gelungen, Zellen in einigen Abschnitten der Teilung zu fixieren. Er stellte die Proben in der richtigen Reihenfolge zusammen und erhielt damit einen ersten Überblick über die Geschehnisse beim Teilungsvorgang der Zelle.

Wir können sie heute in wissenschaftlichen Filmen genau betrachten. Wenn man Zeitrafferaufnahmen verwendet, dann entfalten sich in wenigen Minuten komplizierte »Aktionen« bei der Zellteilung, die in Wirklichkeit eine Stunde dauern. Der Teilungsprozess beginnt im Zellkern. Zunächst ist das Protoplasma ruhig, aber plötzlich sieht man, wie sich Schwärme winziger Körnchen zu einer Kette aufreihen. Sie bilden dabei ein loses Gewirr von fadenartigen Gebilden. Es sind die Kernschleifen oder Chromosomen (von chroma = Farbe), wie man sie ihrer leichten Färbbarkeit wegen genannt hat. Allmählich werden die Chromosomen kürzer und dicker, jedes sieht wie eine durchsichtige Faser aus, in der sich ein fadenartiges Gebilde befindet. Nach kurzer Zeit ist jede Kernschleife doppelt vorhanden, denn die Chromosomen haben sich der Länge nach geteilt, etwa so, wie man eine Bohne längs durchschneiden würde. Auch das neben dem Kern liegende Zentralkörperchen teilt sich. Nun löst sich die Kernwand auf und die beiden Zentralkörperchen holen sich mit »Zugfasern« je eine der durch die Längsteilung entstandenen Chromosomengarnituren heran. Wenn sich die neu gebildeten Kernschleifengruppen getrennt haben, teilt sich das Plasma in zwei Zellen und jede bekommt eine Zellmembran. Nun werden die Kernschleifen wieder zu jenem losen Fadengewirr, das sie vor dem Beginn des Teilungsvorgangs aufwiesen. Zwei neue Zellen sind entstanden, die Teilung ist beendet.

Es gibt verschiedene Formen der Chromosomen, manche ähneln dem Buchstaben V, andere einem J und wieder andere gleichen einem I. Aber jede Kernschleife tritt paarweise auf, und jede Tier- und Pflanzenart hat eine bestimmte, für sie typische Zahl von Chromosomen. Der Mensch besitzt in den Körperzellen 46 Kernschleifen, also 23 Paare, die Fruchtfliege 4 Paare, die Tomate 12 Paare.

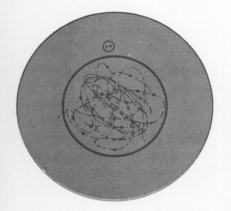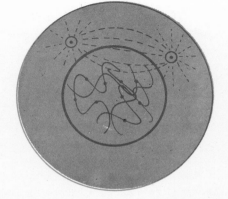

Bei der Fruchtfliege bilden sich 4 Chromosomenpaare.

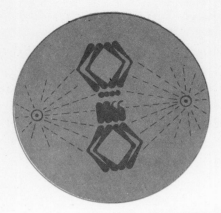
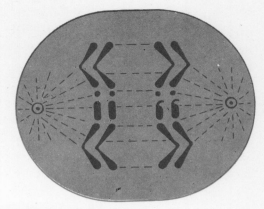

Jede Kernschleife wird der Länge nach geteilt, Resultat: 16 Chromosomen.

Wie entstehen die Keimzellen?

Durch unzählige Wiederholungen jener Vorgänge, die man als Wachstumsteilung bezeichnet, wachsen Pflanzen, Tiere und Menschen in grundsätzlich durchaus übereinstimmender Weise heran. Auch das Wachstum der befruchteten Eizelle erfolgt so. Aber wie steht es mit den Chromosomenbeständen einer solchen Zelle? Wenn in den Kernen der männlichen und weiblichen Keimzellen die gleiche Anzahl von Chromosomen wie in den Körperzellen enthalten wäre, dann müsste sich bei ihrem Zusammentreten die für das betreffende Lebewesen charakteristische »Normalzahl« verdoppeln. Im Falle des Menschen würde ein so entstehendes Kind von Vater und Mutter je 46 Chromosomen mitbekommen, das sind zusammen also 92. Und wenn das im Laufe der Generationen so weiter ginge, dann kämen schliesslich ganz ungeheure Zahlen heraus.

Um solche Möglichkeiten auszuschalten, hat die Natur eine besondere »Methode« eingeführt, die bei allen Lebewesen vom Einzeller bis herauf zum Menschen in grundsätzlich gleicher Weise abläuft. Die Biologen sprechen von der Reduktionsteilung, das ist eine Einrichtung, die für eine Halbierung der Chromosomenzahl in den reifen Keimzellen sorgt. Beim Menschen, der 23 Chromosomen-Paare besitzt, haben die Keimzellen nur 23 einzelne Chromosomen.

Wenn sich aus den sogenannten Urkeimzellen die männlichen oder weiblichen Keimzellen des heranwachsenden Lebewesens bilden, dann besitzen die zunächst noch unreifen Keimzellen in ihrem Kern

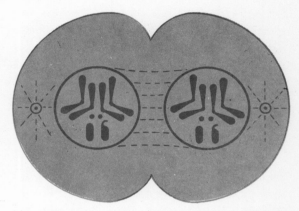

Nun entstehen zwei Kernschleifengruppen, die sich voneinander trennen.

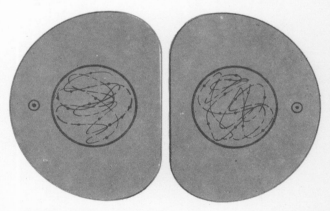

Aus einer Zelle werden zwei.

ebenso viele Chromosomen wie die Körperzellen. Im Falle des Menschen also 46. Wenn sie aber in das Reifungsstadium eintreten und befruchtungsfähig werden, dann erfolgt eine besondere Art der Zellteilung, als deren Ergebnis die reifen Keimzellen nur einen Chromosomensatz (beim

Menschen also 23) besitzen. Wir können diese sehr komplizierten Vorgänge, die bei Eizelle und Samenzelle in etwas verschiedener Weise verlaufen, hier nur kurz skizzieren.

Zunächst findet im Kern der unreifen Keimzelle die sogenannte Chromosomenpaarung statt. Hierbei legen sich je zwei Chromosomen zusammen. Aus den 46 Kernschleifen sind 23 geworden. Nun ordnen sich die Chromosomenpaare in der Mitte der Zelle an. Die folgende Teilung bedeutet lediglich eine Trennung der Paare, es entstehen also zwei Sätze von einzelnen Chromosomen, die in die entgegengesetzten Hälften der Zelle gelangen. Die Zellwand faltet sich ein und so werden nunmehr zwei Zellen gebildet. In beiden befinden sich nur einfache Chromosomen, also keine Paare. Die beiden Zellen machen nunmehr die zweite Reifeteilung durch, das Endergebnis dieser Vorgänge ist folgendes: Aus einer Samenbildungszelle entstehen insgesamt vier fertige Samenzellen mit dem einfachen Chromosomensatz. Die Eibildungs-

Entstehung der männlichen Keimzellen. Die Zelle mit ihren Chromosomenpaaren teilt sich in zwei Zellen mit je einem Chromosomensatz. Diese Zellen teilen sich erneut, so entstehen vier Samenzellen mit dem einfachen Chromosomensatz.

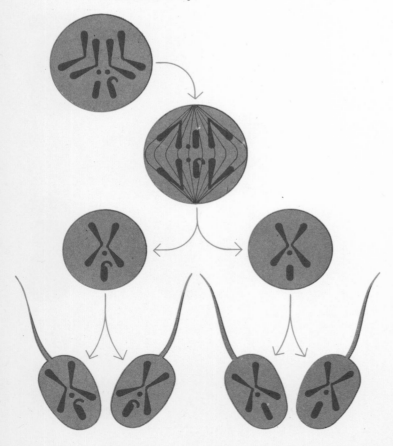

zelle dagegen liefert nur ein reifes Ei, weil im Verlauf der Reifeteilungen die gewissermassen überflüssigen Chromosomen aus der Zelle entfernt werden und zugrundegehen.

Auf diese Weise wird erreicht, dass in der befruchteten Eizelle nur ebenso viele Kernschleifen enthalten sind wie in jeder Körperzelle. Die Natur arbeitet gerade hier im innersten Laboratorium des Lebens ebenso exakt wie »materialsparend«.

Gene als Erbeinheiten

Als die Chromosomen entdeckt wurden, ergab sich zunächst die Frage, warum sich diese Gebilde bei ihrer Reproduktion nicht einfach in der Mitt durchschnüren. Das Problem wurde längere Zeit hindurch diskutiert, gelöst wurde es dann durch die Entdeckung der Erbfaktoren oder Gene. Es zeigte sich nämlich, dass in den Chromosomen sehr viele Erbeigenschaften »enthalten« sind. Es musste also bestimmte Erbeinheiten geben, die ihrerseits für die Ausprägung der verschiedenen Merkmale eines Lebewesens verantwortlich sind. Diese letzten Erbeinheiten hat man in den Genen gefunden (von griechisch genos = Stamm, Geschlecht). Auf sie beziehen sich auch die Mendelschen Gesetze.

Bei derartigen Untersuchungen hat sich ein kleines Insekt – eine Fruchtfliege – als ungemein wichtig erwiesen. Diese Fruchtfliege (Drosophila melanogaster), wurde das »Lieblingstier« der Vererbungsforschung. Das Insekt lebt von Obst, lässt sich leicht züchten und die Generationsfolge ist kurz. Die Entwicklung des Eis zur fertigen Fliege dauert 2 bis 3 Wochen. Ein weiterer Vorteil besteht darin, dass Drosophila melanogaster wenige Chromosomen aufweist: sie besitzt nur 4 Chromosomen-Paare. Bei manchen Drosophila-Arten lassen sich kleine, mittelgrosse und sehr grosse Kernschleifen unterscheiden. Letztere sind natürlich besonders gut zu beobachten. Jedes Chromosom hat eine bestimmte Gestalt, einen bestimmten Aufbau und eine bestimmte innere Struktur. Nach der Behandlung mit einem Färbemittel sieht man, dass die Kernschleifen fadenartige Gebilde darstellen, in ihnen finden sich gut färbbare Scheiben. Sie sind die letzten Elemente, die man im Mikroskop noch sehen

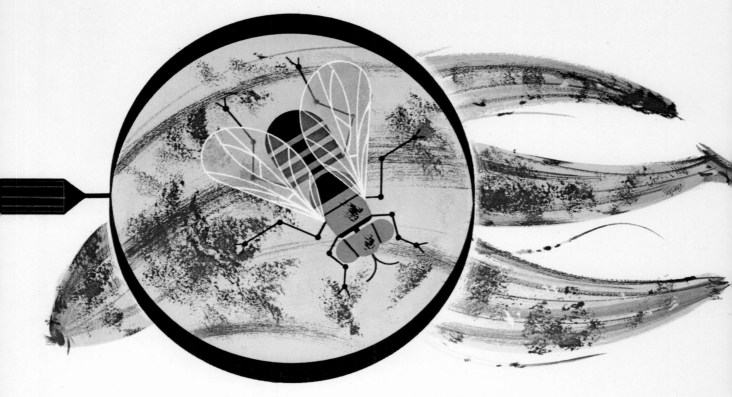

Die Fruchtfliege, das »Haustier« der Vererbungsforscher.

Manche Riesenchromosomen der Fruchtfliege enthalten mehr als 1000 Gene.

Fruchtfliegen mit ungewöhnlichen Eigenschaften.

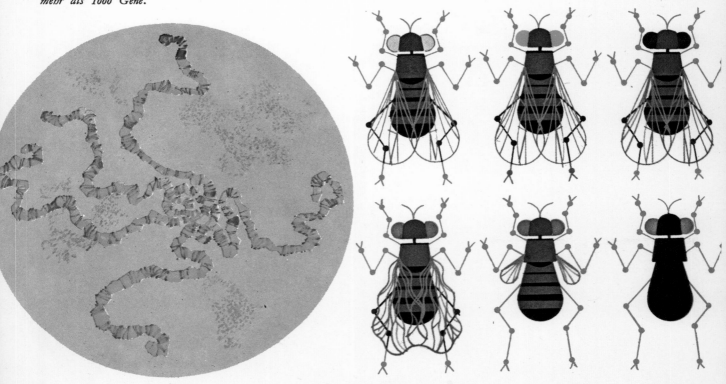

63

kann; die in ihnen verborgenen Gene sind auch mit dem stärksten Mikroskop nicht erkennbar.

Auch die Vorgänge bei der sprunghaften Erbänderung, der Mutation, sind am »Haustier« der Vererbungsforscher besonders eingehend untersucht worden. Ohne ersichtlichen Grund waren plötzlich ganz neue Eigenschaften bei den Versuchstieren festzustellen. Zum Beispiel hatte eine solche Fliege unbrauchbare Flügelstummel und diese Eigenschaft wurde auf die Nachkommen vererbt. Man weiss heute, dass Mutationen bei allen Lebewesen vorkommen und nach den Mendelschen Regeln vererbt werden. Die Änderungen können – das ist der häufigste Fall – nur einzelne Gene, sie können aber auch Chromosomen betreffen. Ob sich die Änderung günstig oder ungünstig auswirkt, hängt völlig vom Zufall ab. Der experimentierende Mensch hat darauf keinen Einfluss, wohl aber kann er die Häufigkeit der Mutationen im Experiment mit verschiedenen Methoden verstärken, zum Beispiel durch Bestrahlung.

Verdoppelung der Chromosomen

Wenn sich eine Chromosom teilt und nun zwei derartige Gebilde entstehen, dann sind beide vollkommen gleich. Da sie aus einer Kette von vielen Genen gebildet werden, muss jedes Gen bei der Reproduktion ein genaues Abbild von sich selbst erschaffen. Wie geschieht das?

Mit dieser Frage haben sich die Biochemiker eingehend beschäftigt, so ist neuerdings eine »molekulare Biologie« entstanden. Man weiss jetzt, dass die Desoxyribonucleinsäure, abgekürzt DNS, den entscheidenden Bestandteil der Gene und damit der Chromosomen bildet. DNS besteht aus zwei gleichartigen Molekülketten, die sich spiralenartig umschlingen. Bei der Selbstvermehrung der Gene weichen die beiden Molekülketten auseinander und jede von ihnen ergänzt sich durch Aufnahme der benötigten Substanzen aus dem Zellmaterial zu einer neuen Doppelkette. Da sich alle DNS-Moleküle in den Chromosomen auf diese Weise verdoppeln, werden die Gene genau kopiert und aus einer Kernschleife bilden sich zwei.

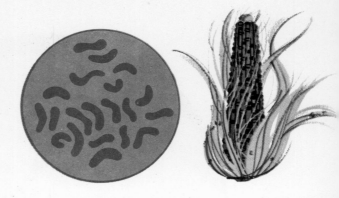

Mais: 10 Chromosomenpaare

Maus: 20 Chromosomenpaare

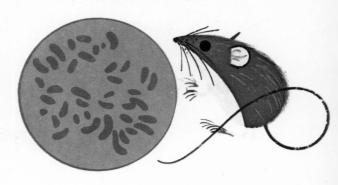

Fruchtfliege: 4 Chromosomenpaare

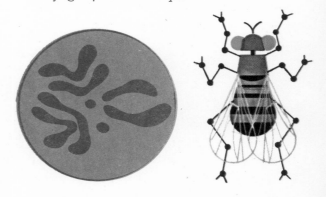

Mensch: 23 Chromosomenpaare

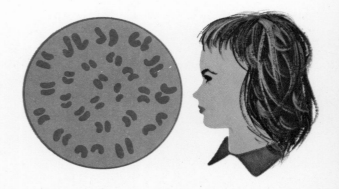

Ein Bauplan für jedes Lebewesen

Verbindungen der DNS mit der eigentlichen Lebenssubstanz, dem Eiweiss, bilden den wichtigsten Bestandteil der Zellkerne von Mensch, Tier und Pflanze. Anscheinend dienen die DNS-Moleküle als eine Art Muster, um Moleküle einer anderen sehr wichtigen Substanz zu bilden. Es handelt sich um die Ribonucleinsäure, abgekürzt RNS. Sie steuert vor allem die Bildung von Eiweissstoffen.
Jedes Eiweissmolekül ist ein sehr kompliziertes Gebilde, es enthält lange Ketten aus Hunderten oder sogar Tausenden von Aminosäuren. Die Baupläne für die Proteine sind gewissermassen in den DNS-Molekülen aufbewahrt. Der Gesamtplan für das Lebewesen mit seinen unzähligen Eigenschaften und Leistungen ist in der befruchteten Eizelle enthalten. Schon sie ist winzig klein, aber die Moleküle der beiden Säuren DNS und RNS sind noch sehr viel kleiner. Und doch wirken sie entscheidend am Aufbau aller Lebewesen mit, mag es sich um eine Maus, einen Menschen oder einen Mammutbaum handeln.
Wenn sich die Eizelle teilt, wird der ihr eingegebene »Bauplan« von allen Chromosomen und Genen der neuen Zellen übernommen. Das Gleiche geschieht wieder und wieder in allen Zellen des sich entwickelnden Embryos. Auf diese Weise existiert ständig ein vollständiger Satz von »Instruktionen«, aus denen hervorgeht, was jeweils beim Aufbau der neuen Lebewesen zu geschehen hat.
Jeder von uns hat einen solchen persönlichen Bauplan in all seinen fünfzig Billionen Zellen. Er hat dazu geführt, dass wir ein Mensch wurden mit seinen allgemeinen und individuellen Kennzeichen aller Art. In jenem Plan war die Bildung unserer Gesichtszüge ebenso enthalten wie die Prägung aller körperlichen und geistig-seelischen Eigenschaften, die unser Wesen bestimmen.

Aufbau des DNS-Moleküls. Zwei »Ketten« aus Zukker– und Phosphatgruppen umschlingen sich spiralenförmig. Die beiden Ketten sind durch stickstoffhaltige Gruppen, sogenannte Basen, kreuzweise miteinander verbunden.

Die Entstehung der Arten

Im Jahre 1735 veröffentlichte der schwedische Botaniker Carl von Linné ein Werk, dessen Bedeutung für die Biologie gar nicht hoch genug eingeschätzt werden kann. Er nannte es »Systema naturae«, also »Das System der Natur«. In diesem Buch hat Linné die Arten und Gattungen der Lebewesen übersichtlich geordnet und klassifiziert. Ein solcher Versuch war vorher noch niemals unternommen worden, in der Namensgebung herrschte daher ziemliche Verwirrung. Oft hatte ein Tier oder eine Pflanze mehrere ganz verschiedene Namen. In anderen Fällen wurde dieselbe Bezeichnung für Angehörige keineswegs gleicher Arten verwendet. Nun führte Linné für jedes Lebewesen den lateinischen Gattungsnamen mit zugefügtem Artnamen ein, sodass keine Unklarheiten mehr bestehen konnten. Das wohlriechende Veilchen zum Beispiel heisst Viola odorata, das Sumpfveilchen Viola palustris. Den Wolf nannte Linné Canis lupus. Canis heisst Hund, damit wird ausgesagt, dass dieses Raubtier zur Gruppe der hundeartigen Lebewesen gehört, und lupus (Wolf) ist die Bezeichnung für die Art.

Eine eigene Art bildet der berühmte Koyote der Indianer- und Trappergeschichten, er wurde Canis latrans genannt, was »heulender Hund« bedeutet und die akustische Eigenart dieses Heulwolfs recht gut widergibt. Die Beispiele zeigen schon, dass dieses System der Namengebung bemüht ist, charakteristische Eigentümlichkeiten der Lebewesen auch in ihrer Bezeichnung zu berücksichtigen.

Nach Linnés Tod sind sehr viel neue Tier- und Pflanzenarten entdeckt worden. Die Liste wurde immer länger und ist auch heute noch längst nicht am Ende. Die Frage war – und ist – natürlich, wann und auf welche Weise diese Lebewesen entstanden sind.

Die Wissenschaftler haben bekanntlich sehr viele Fossilien entdeckt, also Abdrücke und versteinerte Reste von Pflanzen und Tieren aus früheren Epochen. Sie kommen vor allem in deutlich geschichteten, meist horizontal laufenden Gesteinen vor. Die Schichten sind aus Schlamm, Sand und anderem entstanden; jede Schicht musste sich erst absetzen, ehe sich die nächste – darüber liegende – bilden konnte.

Bei der Untersuchung solcher Schichten und der in sie eingelagerten Fossilien ergab sich, dass die ältesten Lebewesen ausschliesslich Wassertiere gewesen sind. Zu ihrer Zeit war das Festland eine lebensleere Wüste, in der weder Tiere noch Pflanzen existierten.

So blieb es über einen unvorstellbar langen Zeitraum, dann aber geschah etwas Neues: die ersten Lebewesen gingen an Land, zuerst Pflanzen, später auch Tiere. Sie hatten keine Ähnlichkeit mit der heutigen Flora und Fauna. Lange Zeit hindurch gab es weder Bäume noch Gräser, sondern nur seltsame Pflanzen, die in der Lage waren, die feuchten Gebiete zu besiedeln. In den Sümpfen lebten Tiere, die wie ins Riesenhafte vergrösserte Lurche aussahen. Millionen Jahre später begann die Epoche der tierischen »Riesen«, der Saurier.

Je mehr Fossilien die Wissenschaftler entdeckten, desto klarer wurden die Beweise für eine sehr wichtige Feststellung. Die heutigen Lebensformen auf unserem Heimatplaneten, so zahlreich und vielseitig sie auch sind, bedeuten doch nur einen kleinen Ausschnitt aus der langen Geschichte des Lebens auf der Erde. Unvorstellbar viele Geschöpfe haben früher existiert, um wieder zu verschwinden und anderen Lebewesen Platz zu machen.

Wie war diese Entwicklung zu erklären? Der französische Forscher Jean Baptiste de Lamarck stellte sich diese Frage und suchte sie zunächst durch vergleichende Untersuchungen zu beantworten. Er legte sich eine umfangreiche Sammlung von Schalen fossiler Meeresschnecken zu und stellte fest,

dass sich manche Schalen sehr ähnlich waren, während andere grosse Unterschiede aufwiesen. Einige der fossilen Exemplare sahen nicht wesentlich anders aus als noch heute lebende Meeresschnecken. Lamarck sortierte nun sein Material und erhielt eine Schalenreihe, die von den ältesten bis zu heutigen Typen führte. Die Unterschiede zwischen den jeweils nebeneinander liegenden Schalen waren überraschend gering!

Lamarck sagte sich, dass es sich hier unmöglich um einen blossen Zufall handeln könne. Vielleicht hatten sich während langer Zeiträume gelegentlich kleinere Änderungen im Bau der Lebewesen ergeben. Im Laufe vieler Generationen, so meinte er, summieren sich diese an sich geringfügigen Änderungen und so konnten aus den früher lebenden Arten andere mit durchaus neuen Eigenschaften entstehen. Vielleicht hatte sich die Evolution, also die Entwicklung von niederen zu höheren Organismen, in kleinen Schritten vollzogen? Lamarck bejahte diese Frage und vermutete, dass derartige Faktoren auch heute noch in der Natur wirksam seien. Wir bemerken nur nichts davon, weil es sich um Vorgänge handelt, die lange Zeiträume in Anspruch nehmen.

Ihre Erklärung sah der französische Forscher in der Anpassung an wechselnde Lebensbedingungen, an die Umwelt also. »Die Verhältnisse«, so sagte Lamarck, »wirken auf die Gestalt und die Organisation der Tiere ein.« Er gab dafür ein früher viel diskutiertes Beispiel: den langen Hals der Giraffe. Er ist für das Tier sehr nützlich, denn mit seiner Hilfe kann es an das Laub der Bäume gelangen. Vielleicht hatten die Stammeltern der Giraffe ganz normale, also kurze Hälse und grasten am Boden. Dann kam eine klimatische Änderung, es gab nicht mehr genug Gras und nur das Laub der Bäume konnte die Nahrungsversorgung verbessern. Die Vorfahren der heutigen Giraffen reckten daher ihre Hälse so hoch wie nur möglich.

Durch das ständige Recken und Strecken sollte nun – immer nach Lamarck – der Giraffenhals immer länger geworden sein. Diejenigen Tiere, deren Leistungen auf dem Gebiet des Halsreckens besonders gut waren, hatten bessere Lebenschancen und vererbten die neu erworbene Eigenschaft

auf ihre Nachkommen. Im Laufe zahlreicher Generationen wurden die Giraffenhälse immer länger. So entstand nach Lamarcks Theorie das Tier mit dem in der Tat für seine Lebensweise sehr zweckmässigen Hals durch Anpassung an das »Milieu«, also an die Lebensbedingungen.

Das ist die früher sehr viel erörterte Entwicklungstheorie Lamarcks, die Theorie von der Vererbung erworbener Eigenschaften.

Darwins Theorie

Im Jahre 1831 begann der junge englische Naturforscher Charles Darwin eine mehrjährige Weltreise. Er fuhr auf dem englischen Schiff »Beagle«, das eine wissenschaftlichen Zwecken gewidmete Fahrt antrat. Während der nächsten Jahre hatte er Gelegenheit, in Südamerika und auf Inseln im Pazifischen Ozean botanische und zoologische Studien durchzuführen. Diese Reise sollte nicht nur für Darwin selbst, sondern auch für die gesamte Wissenschaft vom Leben sehr ertragreich werden.

Der junge Forscher sah vieles, das bisher unbemerkt geblieben war. Sein Schiff fuhr zunächst an der Küste Südamerikas entlang und lief zahlreiche Häfen jeweils für längere Zeit an. Darwin hatte daher genügend Gelegenheit, die Tierwelt im Hinterland zu beobachten. Dabei stellte er fest, dass die Angehörigen der in Betracht kommenden Arten in benachbarten Gebieten einander sehr ähnlich waren. Beobachtete er aber Tiere derselben Art in weit auseinander liegenden Gegenden, dann liessen sich erhebliche Unterschiede feststellen.

Später führte die Reise der »Beagle« zu den Galapagos-Inseln; sie liegen weit draussen im Pazifischen Ozean, etwa 1000 km westlich der Küste Südamerikas. Darwin war nicht überrascht, bei vielen Tieren und Pflanzen auf jenen Inseln Abweichungen vom Aussehen der Angehörigen gleicher Arten auf dem Festland zu finden. Eine andere Beobachtung dagegen interessierte ihn ausserordentlich. Darwin stellte nämlich fest, dass die zahlreich vorhandenen Riesenschildkröten auf den verschiedenen Inseln deutliche Unterschiede zeigten. Die Einheimischen konnten in jedem Fall sagen, von welcher Insel ein solches Tier stammte!

Auch bei gewissen Vögeln – es handelte sich um Finken – waren ebenfalls von Insel zu Insel deutliche Unterschiede, beispielsweise ihrer Grösse und in der Färbung, vorhanden. Oft sahen solche Vögel auf einer Insel ganz anders aus als ihre Artgenossen auf dem nächsten Eiland, das nur 15 km entfernt war. Was hatte das zu bedeuten? Solche Fragen liessen Darwin nicht mehr los, sie waren der Ausgangspunkt einer Arbeit, deren Ergebnis für die Wissenschaft vom Leben unschätzbar wichtig werden sollte.

Die natürliche Auslese

Nach der Rückkehr von seiner langen Reise begann Darwin einen Bericht über seine Beobachtungen zu schreiben. Es war leicht, die Tatsachen darzulegen – sie zu erklären war eine weit schwierigere Aufgabe. Aber Darwin fand einleuchtende Lösungen. Im Falle der Galapagos-Finken war anzunehmen, dass ihre Vorfahren vom Festland gekommen waren. Sie siedelten sich auf den verschiedenen Inseln an und blieben dort für sich. Im Laufe langer Zeiträume entstanden bei den Angehörigen dieser isolierten Gruppen Änderungen gewisser Eigenschaften, die zu einer Aufspaltung der ursprünglichen einheitlichen Art in verschiedene Rassen führten. Die Differenzierung ging weiter und schliesslich war eine Kreuzung der Angehörigen beider Rassen nicht mehr möglich. Auf dem Wege über eine immer weitergehende Rassendifferenzierung waren neue Arten entstanden.

Darwin ging davon aus, dass sich jede Pflanzen- und Tierart ständig langsam verändert. Die Finken wie die Riesenschildkröten auf den verschiedenen Inseln der Galapagos-Gruppe liefern dafür sehr typische Beispiele. Die Frage war nun, welche Faktoren dafür massgebend sind. Der Mensch ist an derartigen Vorgängen aktiv beteiligt, indem er bei der Pflanzen- und Tierzüchtung eine bestimmte Auslese trifft. Wird sie längere Zeit hindurch in der gleichen Richtung vorgenommen, dann führt das schrittweise zu neuen Merkmalen. Damit entfernt sich die neue Zuchtrasse immer mehr vom Typ jener Tiere, mit denen die Züchtung begonnen wurde.

Darwin unternahm selbst Zuchtversuche mit Tauben, wobei er Vögel mit ganz bestimmten Eigenschaften paarte. Er fand sie dann bei den Nachkommen wieder und folgerte daraus, dass auch in der Natur ständig Lebewesen mit kleinen Änderungen ihres Erbgutes entstehen müssen. Unter diesen erblich etwas verschiedenen Individuen werden jene Tiere oder Pflanzen bevorzugt, die sich den gegebenen Lebensbedingungen am besten anpassen können. Darwin hat das natürliche Auslese (Selektion) genannt.

Es gibt ein sehr eindrucksvolles Beispiel dafür. Wir meinen die Entwicklung des Pferdes, dessen »Geschichte« man genau verfolgen kann, weil sie sich dank zahlreicher Fossilienfunde aus dem Tertiär Nordamerikas übersehen lässt. Zunächst war das spätere Pferd ein Waldtier, etwa von der Grösse eines Foxterriers. Es hatte vier Zehen an den Vorderfüssen und drei an den Hinterfüssen. Seine Zähne waren nur geeignet, Blätter zu kauen,

Ein Leguan von den Galapagos-Inseln.

die es in den Wäldern ja reichlich gab.

Im Laufe sehr langer Zeiträume veränderten sich die Vorfahren des Pferdes. Entsprechende Fossilien zeigen, dass sie grösser geworden waren; Vorder- und Hinterfüsse hatten nun drei Zehen. Die mittlere Zehe war viel grösser als die anderen, und ihr Zehennagel verwandelte sich schliesslich in ein neues Gebilde, den Huf. Die Entwicklung ging weiter, ein neuer Pferdetyp entstand, der weit grösser als der frühere war. Seine Beine waren länger und glichen denen des heutigen Pferdes. Die Zähne dieser Pferde waren zum Zermalmen harter Gräser ausgezeichnet geeignet und wuchsen nach, wenn sie abgenutzt waren. Daneben blieb der andere Pferdetyp zunächst bestehen, seine Nahrung bildeten nach wie vor die Blätter von Bäumen.

Aber dann wurde das Klima Nordamerikas trockener, die Wälder verschwanden und an ihrer Stelle breitete sich Gras über die Ebenen aus. Damit wurden die Lebensbedingungen für die blätterfressenden Pferde immer schlechter. Ihr Gebiss war wenig dazu geeignet, Gras zu fressen, denn es nützte sich dabei viel zu rasch ab. Ausserdem konnten diese Tiere bei der Nahrungssuche längst nicht so grosse Strecken zurücklegen, wie es die Angehörigen des »neuen« Pferdetyps vermochten. Unter so ungünstigen Bedingungen mussten viele von ihnen schliesslich verhungern. Auf jeden Fall aber lebten diese Tiere nicht lange genug, um viele Nachkommen in die Welt zu setzen. Während der ganzen Geschichte des Pferdes kann man immer wieder die Wirkung der natürlichen Auslese besonders deutlich beobachten. So wurde entschieden, welche Typen überleben konnten und welche nicht.

Veränderung durch Mutation

Lamarcks Theorie von der »Vererbung erworbener Eigenschaften«, wie sie an seinem Beispiel der Giraffe dargelegt wurde, hat sich nicht bestätigt. Es fehlt nämlich jeder Beweis dafür, dass sich eine während des individuellen Lebens erworbene Eigenschaft auf die Nachkommen vererben kann. Dagegen spielen offensichtlich die sprunghaften

Änderungen im Erbgut, die Mutationen, für unser Problem eine sehr grosse Rolle. Wir haben bereits davon gesprochen, dass die Mutationen beim »Haustier« der Vererbungsforscher, der Fruchtfliege, sehr genau untersucht werden konnten. Wird die neue Eigenschaft dominant vererbt, dann muss sie sich bei den Nachkommen auf die Dauer durchsetzen. Man weiss, dass sich die Mutationshäufigkeit im Falle der Fruchtfliege durch Röntgenbestrahlung erhöhen lässt. Durchdringende Strahlung gelangt – im geringen Ausmass – ständig aus dem Weltraum zur Erde. Vielleicht werden auf diese Weise viele Mutationen verursacht; das lässt sich nicht exakt feststellen.

Sprunghafte Änderungen im Erbgut betreffen meistens nur einzelne Gene, es gibt aber auch »grosse« Mutationen, bei denen ganze Chromosomen oder gar alle betroffen sind. Es steht fest, dass grosse wie kleine Mutationen in weitaus den meisten Fällen ungünstige Auswirkungen haben. Wenn eine Art seit langer Zeit existiert, dann hat sie die Probe der natürlichen Auslese bestanden. Ihre Gene sind gut. Jede Änderung birgt die Gefahr in sich, das Lebewesen zu schädigen. Aber innerhalb langer Zeiträume kommen immer wieder auch Mutationen vor, die für das betreffende Lebewesen einen Vorteil bedeuten.

So ist anzunehmen, dass einst bei den Vorfahren unseres Pferdes sprunghafte Erbänderungen eingetreten sind, die schliesslich zur Entwicklung langer Beine und eines stärkeren Gebisses geführt haben. Die Träger solcher Eigenschaften vermehrten sich unter geänderten Lebensbedingungen stärker als jene Linien, deren Erbgut unverändert blieb. Denn die Angehörigen der zweiten Gruppe konnten sich neuen klimatisch bedingten Verhältnissen nicht anpassen – und starben schliesslich aus. Die Linien mit dem veränderten Erbgut dagegen vermehrten sich stark und setzten sich allein durch. Mit anderen Worten: nützliche Mutationen werden durch die natürliche Auslese erhalten, und sie haben auch die Entwicklung des Pferdes wesentlich mitbestimmt. Grundsätzlich ähnliche Vorgänge haben im Laufe unvorstellbar langer Zeiträume immer wieder stattgefunden; das hat beim Wandel der Lebewesen eine sehr wesentliche Rolle gespielt.

Fossile Vorstufen des heutigen Pferdes.

Meerestiere erobern das Land

Im Meer hat das Leben auf unserem Planeten begonnen und etwa zwei Milliarden Jahre lang blieb es die einzige Heimat der Lebewesen. Die ersten Geschöpfe waren mikroskopisch klein, ihre Nachkommen blieben so, unzählbare Generationen hindurch. Aber im Wandel der Zeiten haben sich die Urlebewesen verändert, neue Typen entstanden. Eine dieser Linien führte zu den Weichtieren, die eine Schale besassen – zu ihren heutigen Nachkommen gehören beispielsweise Muscheln und Schnecken. Eine andere Linie führte schliesslich zur Entstehung der Gliederfüsser, zu denen unter anderen die Krabben und Hummern gehören. Wieder eine andere Linie entwickelte eine Wirbelsäule und so entstanden die ersten Fische.

Aber bei all diesen Verwandlungen blieb das Lebenselement der neu entstehenden Geschöpfe noch lange das Wasser – bis schliesslich einigen Pflanzen und Tieren der Vorstoss aufs feste Land gelang.

Ein schwieriger Übergang

Eine solche Leistung ist erstaunlich genug. Um sie würdigen zu können, muss man sich einmal die »Konstruktion« der heute lebenden Wassertiere etwas näher betrachten. Die kleinsten von ihnen atmen gewissermassen durch die Haut, das heisst mit Hilfe einer dünnen Membran, die ihren Körper umhüllt. Auf diese Weise nehmen sie den im Wasser gelösten Sauerstoff auf und geben Kohlensäure ab. Bei grösseren Wassertieren wird der Sauerstoff mit Hilfe der Kiemen aufgenommen. Wird ein Wassertier an Land geworfen, dann bleibt es noch einige Zeit am Leben – so lange nämlich, als seine Haut resp. die Kiemen noch feucht sind. Dann kann sich etwas Sauerstoff in jener Feuchtigkeit lösen und dem »gestrandeten« Organismus einen Rest von Atmung ermöglichen. Aber bald beginnen Haut resp. Kiemen auszutrocknen, noch eine Weile sickert Flüssigkeit aus dem Körper nach, verdampft aber rasch und so verliert das Tier den Rest des kostbaren Nasses und damit sein Leben.

Nur wenige Tiere haben das Kunststück fertiggebracht, trotz Atmung durch Haut oder Kiemen Landbewohner zu werden. Zu ihnen gehören die Landschnecken. Da sie noch immer auf Hautat-

mung angewiesen sind, haben sie verschiedene Methoden zur Lösung jenes Problems entwickelt. Besitzt die Schnecke ein Haus, dann kann sie sich dorthin »zurückziehen«, wenn das Wetter trocken ist. Unsere Gartenschnecke hat bekanntlich kein Haus, sie gehört zu den sogenannten Nacktschnecken. Aber die Natur gab ihr die Fähigkeit, den Körper mit Hilfe eines schleimigen Überzugs vor Austrocknung zu schützen.

Die Insekten – sie gehören wie Krebse und Asseln zu den Gliederfüssern – haben schon früh den

Solche Geschöpfe lebten vor etwa 500 Millionen Jahren im Meer.

Übergang vom Wasser zum Land vollzogen. Das war eine grosse Leistung, denn sie mussten dabei einen Nachteil überwinden: ihre Kleinheit. Sie hat zur Folge, dass ein solcher Organismus eine relativ grosse Oberfläche hat, von der Wasser abgegeben werden kann. Aber dagegen haben sich die Insekten einen sehr wirksamen Schutz geschaffen: sie produzieren eine wachsartige Substanz, die den Körper überzieht und den Wasserverlust fast völlig verhindert.

Die Atmung erfolgt mit Hilfe sogenannter Tracheen, es sind Atemröhren, die mit ihren feinen Verzweigungen den ganzen Körper durchziehen und mit Atemöffnungen in Verbindung stehen. Der Sauerstoff gelangt ohne den »Umweg« über Lungen direkt in die Zellen und das Kohlendioxyd wird ebenso direkt nach aussen abgegeben. Die Atemöffnungen wirken wie winzige Falltüren, die zwar die Luft hereinlassen, eine zu starke Verdampfung von innen her jedoch verhindern.

Zahlreiche Fossilien haben den Beweis dafür erbracht, dass Insekten seit ein paar hundert Millionen Jahren auf dem Land gelebt haben – länger als irgendwelche andere Tiere. Sie hatten wahrhaftig genug Zeit, sich zu entwickeln und dem Leben ausserhalb des Wassers anzupassen. Damals hatten verschiedene Pflanzen das Wasser bereits verlassen und wuchsen an den Rändern flacher Buchten und Lagunen. Die frühesten Landpflanzen, von denen wir Kunde haben, waren blattlose Gebilde, die man wissenschaftlich Nacktfarne nennt. Sie standen etwa zwischen Moosen und Farnen. Ihnen folgten Pflanzen mit »richtigen« Wurzeln und Blättern: Bärlappgewächse, Farne und Schachtelhalme. Sie erreichten später in den Sumpfwäldern gewaltige Grössen. Mit den Landpflanzen als Nahrungsquelle war die entscheidende Voraussetzung dafür gegeben, dass Tiere ihr ursprüngliches Element, das Wasser, verlassen konnten.

Fische werden Landbewohner

Noch immer stellen Fische die Mehrzahl der Wirbeltiere dar. Fische pflegen heute wie einst im Wasser zu leben und niemand erwartet, dass sie an Land gehen. Und doch ist das vor langer Zeit geschehen und hatte bemerkenswerte Folgen. Auf diese Weise sind nämlich die landbewohnenden Wirbeltiere entstanden.

Wie brachten es die Urfische fertig, ihr Element zu verlassen und ausserhalb des Wassers zu existieren? Eine Antwort auf diese Frage geben uns jene Fische, die auch heute noch von Fall zu Fall ohne Wasser existieren können. Sie würden sogar ersticken, wenn sie nicht zu gewissen Zeiten Luft atmen könnten!

Der Afrikanische Lungenfisch hat aalförmige Gestalt und bewohnt zentralafrikanische Flüsse. Diese

Vorzeitliche Lungenfische konnten mit Hilfe ihrer Lappenflossen ins Wasser zurückkriechen, wenn sie aufs Trockne geraten waren.

Flüsse trocknen zu bestimmten Zeiten fast völlig ein, nur hier und da bleiben schlammige Lachen zurück. Sie sind voll verfaulender Pflanzen, die dem Wasser Sauerstoff entziehen. Aber der Lungenfisch erstickt nicht. Er schwimmt zur Oberfläche, um dort nach Luft zu schnappen.

Er besitzt neben den Kiemen, gewissermassen zusätzlich, ein Paar sackförmige Lungen. An diesem lebenden »Modell« kann man sich eine gute Vorstellung davon machen, wie einst der Übergang vom Leben im Wasser zum Leben auf dem Lande möglich wurde.

Vor mehr als dreihundert Millionen Jahren hatten wahrscheinlich alle Knochenfische Lungen, daher konnten sie sich auch dann am Leben erhalten, wenn ihre sumpfigen Wohngebiete zeitweilig austrockneten. Auf diese Weise waren sie dem Leben im Morast sehr gut angepasst. Ihr Körperbau bot noch einen weiteren Vorteil: solche Sumpffische hatten vier starke Flossen, die ungefähr dort wuchsen, wo heutige Landtiere ihre Beine haben. Die Flossen waren durch muskulöse »Lappen« mit dem Körper verbunden. Wenn ein Fisch aufs Trockene geraten war, dann konnte er mit Hilfe der ungemein stabilen Lappenflossen kriechend in das feuchte Element zurückkehren. Das geschah immer wieder, denn diese Tiere liessen sich niemals am Land nieder. Sie strandeten nur ab und zu, suchten aber so rasch wie möglich ihr eigentliches Element wieder auf. So blieb es lange Zeit hindurch, aber keineswegs immer.

Die Entwicklung der Amphibien

Die Entwicklung ging weiter, Jahrmillionen hindurch. Bei gewissen Formen der Sumpffische bildeten sich die Lappenflossen schliesslich in richtige Beine um. So entstanden Tiere, die zwar noch hauptsächlich im Wasser lebten, aber trotzdem keine Fische mehr waren, sondern Amphibien. Das Wort stammt aus dem Griechischen und bedeutet »ein doppeltes Leben führen«, nämlich im Wasser wie auf dem Lande. Heute gibt es nur noch wenige Typen kleiner Amphibien: die Salamander und Molche, Frösche, Kröten und Unken sowie wurmartige Geschöpfe, die Blindwühlen genannt werden.

Die meisten Amphibien legen ihre Eier im Wasser ab, die ausschlüpfenden Jungen durchlaufen ein Larvenstadium und atmen mit Kiemen sowie durch die Haut. Erst bei der Umwandlung, der sogenannten Metamorphose, werden die Gliedmassen entwickelt; die Atmung erfolgt nunmehr mit Hilfe von Lungen und durch die Haut. Das fertige Tier besitzt alle Voraussetzungen dafür, sein Leben auf dem Lande zu beginnen.

Wahrscheinlich haben schon die Uramphibien Eier im Wasser abgelegt, und ihre Larven lebten wie heute als kiemenatmende Schwimmer. Für sie muss das Dasein in den riesigen Sumpfgebieten sehr riskant gewesen sein. Wenn die Sümpfe eintrockneten und die verfaulende Vegetation das Wasser vergiftete, starben die jungen Amphibien in unermesslicher Zahl.

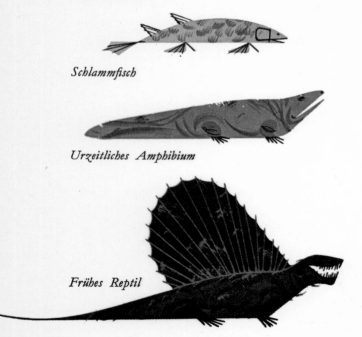

Schlammfisch

Urzeitliches Amphibium

Frühes Reptil

Dinosaurier

Das Ei mit der Schale

Im Laufe langer Epochen entwickelten gewisse Abkommen der Amphibien eine andere »Methode« der Vermehrung. Hatten sie bisher viele kleine Eier als Laich im Wasser abgelegt, so wurden nunmehr grössere Eier gebildet, die durch eine Schale sowie eine innere Schutzhülle vor dem Austrocknen geschützt waren und an Land abgelegt wurden. Der sich bildende Embryo nahm Sauerstoff aus der Luft auf und fand im Dotter genügend Nahrungsstoffe vor. Wenn das fertige Tier dann ausschlüpfte, besass es schon Lungen und Beine, brachte also die Voraussetzungen mit, um auf dem festen Lande leben zu können. Seine Haut war nicht feucht, sondern trocken, sodass kein erheblicher Flüssigkeitsverlust durch Verdampfen eintrat. Jene Tiere, die erstmalig mit Schalen ausgestattete Eier legten, waren keine Amphibien mehr. Mit ihnen wurde ein ganz neuer Typ der Lebewesen geschaffen: die Reptilien begannen ihren Weg ins Dasein.

Im Laufe ihrer Entwicklung breiteten sie sich über alle Kontinente aus und bildeten eine Fülle bizarrer Formen. Zu ihnen gehören die grössten Lebewesen, denen jemals die Erde eine Heimstatt bot, die Dinosaurier. Sie waren lange Zeit hindurch die Herren der Erde. Das war gewiss eine bemerkenswerte Leistung – und welchem Umstand war sie ursprünglich zu verdanken? Der Tatsache vor allem, dass die ältesten Vorfahren der Reptilien ein grosses, von einer Schale geschütztes Ei produzierten. So konnten die Wirbeltiere endlich das feuchte Element verlassen und damit jenen langen Weg beenden, der vom Wasser zum Land führte.

Verhalten und Instinkt

Der Mensch lernt während seiner Jugend fast ununterbrochen und später sucht er mindestens aus seinen Erfahrungen die jeweils richtigen Nutzanwendungen zu ziehen. Auch das ist ja eine Form des »Lernens«. Die Tiere scheinen es in dieser Beziehung leichter zu haben. Bei den Angehörigen der meisten Arten wird den jungen Tieren fast überhaupt keine »Erziehung« zuteil und doch wissen sie stets, wie sie sich richtig zu verhalten haben. Mag es sich um Würmer oder Insekten, Vögel oder Säugetiere handeln, sie reagieren in den meisten Fällen durchaus zweckmässig, etwa bei der Nahrungssuche oder der Flucht, beziehungsweise dem Verstecken vor Feinden. Woher »wissen« sie das, warum ist ihr Verhalten so genau der jeweiligen Situation angepasst?

Der »intelligente« Regenwurm

Ein Regenwurm ist gewiss kein hochstehendes Lebewesen, und doch handelt er manchmal so, dass man versucht sein könnte, von »Klugheit« zu spre-

chen. Nehmen wir an, jemand will am Abend angeln und braucht dazu Regenwürmer als Köder. In solchem Fall wird er vermutlich eine Taschenlampe nehmen und an günstigen Stellen ihren Strahl auf den Boden richten. Bald zeigt sich ein Regenwurm, man greift nach ihm – aber es kann sehr leicht passieren, dass der »Jäger« nur ein paar Grashalme in der Hand hat. Der Wurm ist in ein Loch geschlüpft und so der Gefahr entgangen. Wieso konnte dieses primitive Tier von ihr wissen?

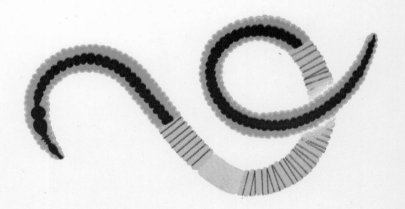

Das einfache Nervensystem eines Regenwurms warnt ihn vor Gefahren.

Es besitzt weder Augen noch Ohren, also muss die Auslösung seiner durchaus zweckmässigen Fluchtreaktion auf andere Weise erfolgt sein. Nun, der Regenwurm wurde in der Tat »gewarnt«. Der Körper dieses Tieres setzt sich aus einzelnen Segmenten zusammen, jedes besitzt einige Nervenknoten, die Verbindungen zu den anderen Teilabschnitten des Wurms haben. Ausserdem verlaufen Nervenfasern zur Haut. In den Nervenknoten sind Quer- und Längsstränge miteinander verknüpft, etwa wie bei einer Strickleiter; man spricht daher vom »Strickleiternervensystem«. Mit seiner Hilfe reagiert der Wurm auf Umweltreize, Erschütterungen des Erdbodens zum Beispiel, die ein sich nähernder Mensch verursacht. Solche Reize werden aufgenommen, sie verursachen chemische Vorgänge in den Nervenknoten, die rasch alle Quer- und Längsstränge erreichen und bestimmte Impulse auslösen. Das Resultat ist eine Warnung vor Ge-

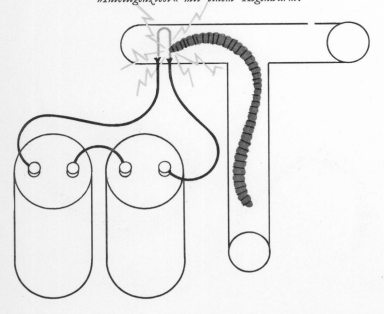

»Intelligenztest« mit einem Regenwurm.

fahr – und das Tier reagiert entsprechend, wie unser Beispiel zeigt.

Am Vorderende des Wurms verlaufen zwei Nervenstränge um das Mundgebiet herum. Ein Teil dieser Nervenschlinge verdickt sich zu Ganglienknoten, die grösser als die übrigen sind. Der Ausdruck »grösser« ist allerdings nur relativ zu bewerten, denn jene Nervenknoten sind noch immer winzig klein. Immerhin stellen sie das Gehirn des Wurms dar, mit dessen Hilfe die für ihn notwendigen Reaktionen gesteuert werden. Wie »klug« ist ein solches Tier? Nun, es reagiert innerhalb seines Lebensbereiches zweckmässig, aber das geschieht gewissermassen automatisch, »instinktiv«, wie man auch sagt. Die Anlagen für wurmmässiges Verhalten sind in den Erbanlagen des Tiers, den Genen, enthalten. So kann ein solches Tier handeln, ohne zu denken, wie seine Vorfahren es immer getan haben. In den meisten Fällen werden seine Reaktionen »richtig« sein, das heisst den jeweiligen Umständen entsprechen.

Ein Wurm »lernt«

Die Frage ist nun, ob ein Regenwurm Neues hinzulernen, ob er überhaupt irgend etwas lernen kann. Um das herauszufinden, hat ein Biologe Intelligenztests für Würmer ausgearbeitet und sie dann an solchen Tieren erprobt. Er baute eine Apparatur zusammen, die sozusagen ein künstliches Erdloch darstellt. Es handelt sich um eine T-förmige Röhre, wie sie die Abbildung zeigt. Der Wurm wurde bei der »Prüfung« in das Rohr hineingesetzt und begann bald, nach oben zu kriechen. Als er die Gabelung erreicht hatte, gab es für ihn zwei Möglichkeiten. Er konnte in die rechte Abzweigung kriechen, dann geschah ihm nichts, wandte er sich aber an der kritischen Stelle nach links, dann berührte er elektrische Drähte und bekam einen leichten Schlag.

Die Versuchstiere wählten zunächst beide Wege gleich häufig. Tagelang bekamen sie immer wieder elektrische Schläge, wenn sie an der Kreuzungsstelle nach links krochen. Es dauerte lange, ehe sich eine Wirkung dieser »Erfahrungen« einstellte, aber schliesslich war ein gewisser Erfolg zu verzeichnen. Die Würmer wandten sich häufiger dem rechten als dem linken Weg zu: sie hatten also aus schmerzhafter Erfahrung gelernt.

Instinktleistungen einer Wespe

Bei den Insekten, etwa den Wespen, Bienen und Ameisen, sind die Instinktleistungen weit grösser als beim Regenwurm, weil der Aufbau ihres Körpers differenzierter ist und sie über spezielle Sinnesorgane verfügen. Die gewöhnliche Wespe zum Beispiel, die bei der Suche nach Nahrung und dem Einsammeln von Material zum Nestbau ausgedehnte Flüge unternimmt, verfügt über sehr grosse Augen. Sie helfen ihr bei der Orientierung im Gelände. Die beiden Fühler tragen zahlreiche Sinneszellen, die Geruchsreize aufnehmen. Wespen können auf diese Weise ihre Nahrung finden und feststellen, ob eine andere Wespe zum eigenen Nest gehört oder nicht.

Im Herbst tötet der Frost alle männlichen sowie die unbefruchteten weiblichen Wespen. Die befruchteten Weibchen überwintern an geschützten Stellen und kommen im Frühjahr wieder hervor. Jedes Weibchen beginnt dann ein Nest zu bauen, in dem das Tier Königin sein wird. Als Material für den Nestbau dient Holz, das von der Wespe zerkaut wird. Aus der breiigen, papierähnlichen Masse baut sie ein zunächst kleines Nest, das einige Waben enthält. Nun werden die Eier abgelegt, aus der bald die Maden schlüpfen. Aus ihnen entstehen nach dem Verpuppungsstadium die ersten Arbeiterinnen. Die Eierproduktion der Königin geht weiter, neue Maden schlüpfen aus und werden von den Arbeiterinnen gefüttert. Ausserdem wird das Nest nach Bedarf vergrössert.

Die ganze Organisation funktioniert so gut, als hätten die Wespen die jeweils notwendigen Arbeiten besprochen und ihre Einteilung verabredet. In Wirklichkeit kann von solchen Vernunftleistungen gar keine Rede sein, denn die Tiere folgen ausschliesslich ihrem Instinkt. Tritt gelegentlich eine »ausserplanmässige« Situation ein, dann

Der Nestbau der Wespen erfolgt rein instinktiv.

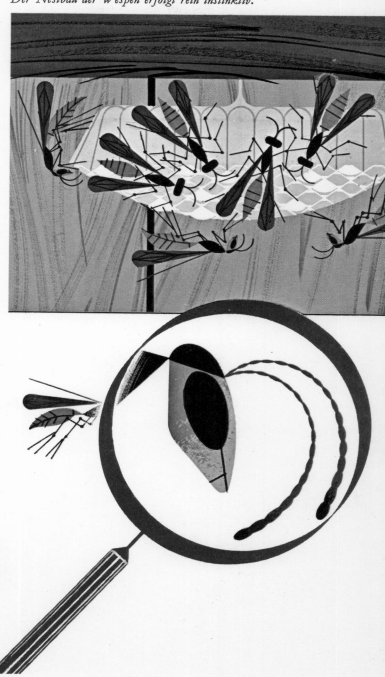

79

Auch bei den weitaus meisten Arten der Wirbeltiere wird das Verhalten ausschliesslich von angeborenen Instinkten gesteuert. Nehmen wir als Beispiel Meeresschildkröten, die lediglich zur Eiablage an Land gehen. Sie scharren Löcher in den Sand, legen die Eier hinein – und kehren nach vollbrachter Arbeit ins Meer zurück. Die ausschlüpfenden Jungen sind völlig auf sich allein gestellt – und »wissen«, was zu tun ist. Nach kurzem Aufenthalt im Sandloch kriechen sie dem hellsten Licht zu und kommen auf diese Weise zum Meer, das nun ihre Heimat sein wird. Diese Verhaltensweise ist so genau festgelegt, dass sie eigentlich immer störungsfrei abläuft.

Bei den Warmblütern ist die Situation weniger einfach. Sie besitzen höher entwickelte Gehirne und müssen dementsprechend kompliziertere Leistungen vollbringen, nicht zuletzt bei der Aufzucht ihrer Nachkommen. Ein Singvogel zum Beispiel füttert seine Jungen mit wahrhaft rührendem Eifer. Aber auch das geschieht rein instinktiv – von irgendeiner Form der »Überlegung« ist keine Rede. Wird der normale Ablauf der Dinge gestört, dann sind die Vögel nicht fähig, sich der geänderten Situation anzupassen und der sonst so nützliche Instinkt kann schädlich werden.

Ein sehr typisches Beispiel dafür bietet das sich in jedem Sommer ungezählte Male wiederholende Drama mit dem fremden Ei. Das Kuckucksweibchen hat bekanntlich die Gewohnheit, seine Eier

genügt die sozusagen automatische Steuerung der Verhaltensweise nicht mehr. Die Tiere wissen dann nicht, was sie tun sollen, und so kommt es oft zu ganz sinnwidrigen Handlungen.

Man hat bei entsprechenden Versuchen Arbeiterinnen eines Wespennestes jeweils zusammen mit einer Made isoliert, ohne Nahrung mitzugeben. Die Folge war ein durchaus unvernünftiges Verhalten. Die isolierte Arbeiterin biss »ihre« Made in der Mitte durch und versuchte dann mit der hinteren Madenhälfte die vordere zu füttern.

Die soeben ausgeschlüpften Meeresschildkröten suchen auf dem schnellsten Wege ins Meer zu kommen.

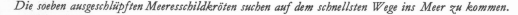

anderen, weit kleineren Vögeln ins Nest zu legen. In Amerika verwendet der sogenannte Kuhvogel die gleiche Methode. Die Vogeleltern merken nichts davon und brüten das falsche Ei aus. Der junge Kuckuck kommt meist etwas früher, mindestens aber gleichzeitig mit seinen »Stiefgeschwistern« zur Welt und ist bald erheblich grösser und stärker als sie. Nacheinander drängt er die anderen Jungvögel aus dem Nest – sie liegen am Boden, wo sie vor Hunger und Kälte sterben. Ihre Eltern merken nichts davon, sie füttern den Vernichter ihrer eigenen Brut emsig weiter! Ursache dieses »abnormen« Verhaltens ist vor allem der ständig weit geöffnete Schnabel des jungen Kuk-

Der amerikanische Kuhvogel legt wie unser Kuckuck seine Eier in fremde Nester.

kucks. Er ist verhältnismässig gross und rot gefärbt – dieses »Signal« wirkt auf den Fütterungs-
instinkt der getäuschten Vogeleltern so stark, dass
sie alles andere darüber vergessen.

Ein Reh »lernt«

Ein neugeborenes Säugetier – sogar eine Maus –
hat ein verhältnismässig grosses Gehirn. Aber zunächst ist dieses Organ nicht voll gebrauchsfähig.
Man kann es mit einer Radio- oder Fernsehanlage
vergleichen, die noch nicht an die Steckdose an-
geschlossen ist. Die Ganglienzellen und Leitungs-
bahnen sind zwar vorhanden, aber sie funktionieren zunächst nur teilweise. Das Gehirn muss gewissermassen trainiert, die Verbindungen zwischen
den verschiedenen Zentren und Bahnen müssen

erst hergestellt werden. Das erfolgt durch den
Vorgang des Lernens, der sich während der Entwicklung des Jungtiers schrittweise vollzieht.
Ein neugeborenes Kaninchen besitzt den Instinkt
bei der Mutter zu saugen – viel mehr kann es
zunächst noch nicht. Das Rehkitz dagegen ist von
Anfang an schon etwas weiter: es kann stehen
oder knien, wenn es am Muttertier säugt. Lässt
sie es für einige Zeit allein, dann pflegt sich das
hilflose Wesen im Gras oder Gebüsch ganz ruhig
zu verhalten. Auf diese Weise ist das Rehkitz am
wirksamsten vor seinen zahlreichen Feinden geschützt. Natürlich »weiss« das Tier davon nichts,
es reagiert auch nicht aufgrund von Erfahrungen,
sondern rein instinktiv. Aber im Laufe seiner weiteren Entwicklung sammelt das junge Reh Erfahrungen und lernt aus ihnen.
Manchmal wird ein Rehkitz, das die Mutter ver-

82

loren hat, von Menschen adoptiert. Man zieht es mit der Flasche auf — und nun folgt das Tier seinen Betreuern wie es seiner Mutter gefolgt wäre. Ein junges Reh, das so aufwächst, sollte man später nicht freilassen, da es dem Leben »draussen« wahrscheinlich nicht gewachsen wäre. Es würde bald dem Fuchs oder anderen Feinden zum Opfer fallen, denn es weiss nicht, dass es vor ihnen flüchten muss. Unter natürlichen Bedingungen dagegen lernt das junge Tier, wie es sich zu verhalten hat, wenn irgendwelche Gefahren drohen. So wird es für sein zukünftiges Dasein in der richtigen Weise vorbereitet.

Schule für junge Löwen

Junge Löwen brauchen eine wesentlich vielseitigere »Ausbildung« als etwa das Rehkitz, denn sie sind Jäger und müssen die Gesetze und Methoden der Jagd erlernen. Wer je kleine Katzen aufgezogen hat, weiss Bescheid, wie sich derartige Fähigkeiten entwickeln. Die Kätzchen trainieren sozusagen beim Spielen mit Garnrollen und sonstigem Material, das man ihnen gibt. Zunächst sind die kleinen Tiere noch unbeholfen, aber bald wissen sie ihre scharfen Augen und kräftigen Muskeln richtig einzusetzen. Die Mutter hilft ihren Jungen sehr wirksam bei solchen Übungen. Sie fängt Mäuse und gibt den kleinen Katzen Gelegenheit, am lebenden Objekt die richtigen Jagdmethoden zu erlernen und in der Praxis zu erproben.

Eine grundsätzlich ähnliche Schulung machen die jungen Löwen durch. Zunächst wird spielend gelernt: die Tiere pirschen sich gegenseitig an, springen aufeinander los oder haschen nach dem hin- und herschwingenden Schwanz der Mutter. Später folgen sie ihr auf die Jagd und sehen, wie das Beutetier erlegt wird. Etwas später versuchen es

Dem Rehkitz sagt sein Instinkt, dass es sich verbergen muss.

die Jungen selbst, im Anfang meist ohne Erfolg, weil sie Fehler machen. Aber nach hinreichender Übung lernen sie die »richtigen« Methoden, wobei ihnen der angeborene Jagdinstinkt sehr wirksam hilft.

Immerhin braucht ein junger Löwe etwa anderthalb Jahre »Training«, denn die Jagd auf schnel-

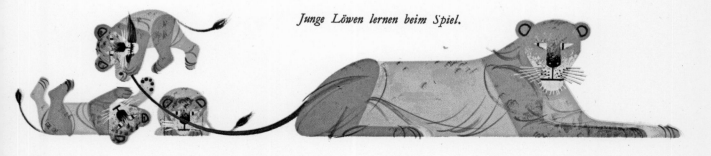

Junge Löwen lernen beim Spiel.

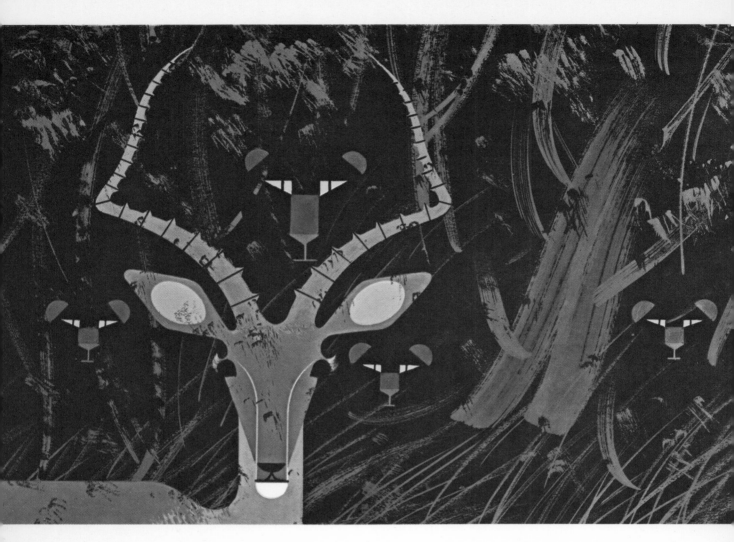

le und vorsichtige Beutetiere ist keineswegs einfach. Es gibt ganz bestimmte Methoden, wie sich ein solches Raubtier anschleichen muss, um so nahe heranzukommen, dass der entscheidende Sprung gelingt. Während ihrer Vorbereitungszeit gewöhnen sich die jungen Löwen daran, in Gruppen zu jagen, weil das in vielen Fällen besseren Erfolg verspricht. Meist wird diese Methode später beibehalten.

Das Tier mit den Händen

Die menschliche Hand ist ein geradezu ideales Hilfsmittel, mit ihrer Hilfe »begreift« der Mensch die Welt, mit seinen Händen schafft er Werkzeuge, Waffen usw., die sein Gehirn ersann. Nun gibt es bekanntlich Tiere, die ebenfalls Hände besitzen, es sind die Primaten, die Herrentiere. Zu

ihnen gehören die Halbaffen, Affen und Menschenaffen.

Man weiss durch entsprechende Fossilienfunde, dass die Ahnenformen der Herrentiere mit einer Sonderentwicklung von Hand und Gehirn begonnen haben, Die frühesten Primaten waren Baumbewohner, sie brauchten ihre Hände zum Festhalten an den Zweigen sowie zum Ergreifen von Früchten, Nüssen und Vogeleiern, die ihnen zur Nahrung dienten. Die zu den Halbaffen gehörenden Lemuren demonstrieren das noch heute sehr deutlich. Ein solches Tier ergreift einen Zweig von der einen Seite mit vier Fingern, von der anderen Seite mit dem besonders kräftig entwickelten Daumen.

Ein Affe verhält sich noch geschickter, er kann mit grosser Sicherheit von Ast zu Ast klettern und von einem Baum zum nächsten springen.

Dazu braucht er einen gut ausgebildeten Gesichtssinn. Beide Augen befinden sich vorn im Gesicht, so sieht das Tier jedes Objekt klar und scharf. Der Affe kann den jeweils nächsten Ast anvisieren und seine Entfernung recht genau feststellen, daher sind seine Sprünge stets richtig berechnet. Affen sind ausgesprochen gesellige Tiere, meist vereinigen sie sich zu grösseren Gruppen, die vom jeweils stärksten Männchen geführt werden. Sie »schwatzen« miteinander, helfen in Not geratenen Mitgliedern der Horde und verhalten sich dabei sehr mutig.

Vor vielen Millionen Jahren entwickelte sich aus einer bestimmten Linie der Primaten ein Typ, der gross und breitschulterig war und keinen Schwanz mehr besass. Er war zu schwer, um in den Bäumen herumzuturnen, wie es die kleineren Affen tun, sondern die Tiere schwangen sich mit den Armen von Ast zu Ast. So entstand die Gewohnheit, den Körper aufrecht zu halten.

Dieser Lemur mit gestreiftem Schwanz kann mit seinen Händen geschickt zugreifen.

Später fand eine weitere Trennung in zwei ganz verschiedene Gruppen statt. Bei der ersten führte die Entwicklung zur Ausbildung sehr langer Arme und Hände – dadurch wurde das Schwingklettern erleichtert. Der Daumen war dabei nicht nötig und so wurde er im Laufe langer Zeiträume, verglichen mit der Grösse der übrigen Hand, immer kleiner. Alle heutigen Menschenaffen haben den kurzen Daumen, denn sie sind direkte Nachkommen jener tüchtigen Schwinger.

Die Angehörigen der anderen Linie leisteten auf diesem Gebiet nichts Besonderes. Klettern war überhaupt nicht ihre Stärke. Das mag einer der Gründe gewesen sein, der sie dazu veranlasste, das Leben im Walde mit einer Daseinsform im freien Gelände zu vertauschen. Ihre Füsse wurden in langen Zeiträumen dem Gehen und Laufen angepasst, die Hände dagegen blieben wie sie schon früher

gewesen waren. Sie hatten einen kräftigen Daumen, der die Tätigkeit der anderen Finger wirksam ergänzte.

Aus diesen Geschöpfen, die sich dem Leben auf dem Erdboden angepasst hatten, entstanden wiederum verschiedene Linien. Ihre Angehörigen gingen aufrecht, sie hatten »richtige« Füsse und Hände. Im Laufe langer Zeiträume verschwanden diese Linien wieder – mit einer einzigen Ausnahme, und sie führte zum Menschen.

Die lange Kindheit

Wir werden wohl niemals genau erfahren, wie sich aus tierischen Vorstufen schliesslich der Mensch entwickelt hat. Aber man kennt drei wesentliche Voraussetzungen dafür: erstens das grosse Gehirn,

Affen treten meist in Gruppen auf.

Der Gibbon hangelt ausgezeichnet, aber er läuft schlecht.

Dementsprechend gibt es auch ganz erhebliche Unterschiede bei der Intensität und Dauer der mütterlichen Fürsorge für die Jungen. Man hat das zum Beispiel bei jungen Schimpansen oft genug beobachtet. Ein solches Tier wird von der Mutter sorgfältig »trainiert« und lernt nacheinander das Kriechen, Gehen, Klettern und Schwingen. Wird der junge Affe erschreckt, dann läuft er sofort zu seiner Mutter oder zu einem anderen erwachsenen Schimpansen und klammert sich ängstlich an ihm fest. Erst nach verhältnismässig langer Zeit kann sich ein Schimpanse selbst beschützen.

Die weitaus längste Kindheit aber hat der Mensch. Wenn er zur Welt kommt, fehlen ihm noch alle Möglichkeiten, auf die Aussenwelt irgendwie zu reagieren. Seine Sinnesempfindungen müssen sich erst entwickeln, die Augen lernen es, Helligkeitsunterschiede zu unterscheiden, die Ohren Töne und die Zunge Geschmacksreize. Aber das ist nur des Anfang. Während des ersten Lebensjahres verdoppelt sich das Gewicht des kindlichen Gehirns, das kleine Wesen lernt ununterbrochen — und es gibt wahrhaftig viel zu lernen, körperlich wie geistig.

zweitens eine lang dauernde Kindheit und drittens die Fürsorge und gründliche Erziehung der Nachkommen durch die Erwachsenen.

Diese Tendenz ist bei den Primaten in deutlich ansteigender Linie festzustellen. Ganz allgemein lässt sich sagen, dass innerhalb der Primatengruppe grosses Gehirn und vergleichsweise hohe Intelligenz mit einer langsamen Entwicklung der Jungen verbunden sind. Bei den Halbaffen beträgt die Tragzeit des Muttertiers etwa vier, bei den Affen fünf und beim Schimpansen siebeneinhalb Monate. Die Schwangerschaftsdauer beim Menschen ist mit neun Monaten die längste.

Grundsätzlich ähnlich liegen die Dinge bei der Entwicklung der jungen Tiere: ein Halbaffe kann nach ein paar Tagen laufen und ist nach einem Jahr erwachsen. Beim Affen betragen diese Fristen vier Wochen und drei Jahre, beim Menschenaffen sind sie noch weit länger: erst mit sechs Monaten kann ein junger Schimpanse laufen, erst mit acht Jahren ist er voll erwachsen.

Ein kräftiger Daumen hilft beim Hantieren mit Werkzeugen.

Gehirn des Halbaffen, Affen, Menschenaffen und Menschen.

Auf das Kriechen und Gehen folgt das langsame Erlernen des Sprechens – erst mit seiner Hilfe wird das Denken möglich. Immer mehr Wörter, immer mehr Möglichkeiten sie miteinander zu verbinden, müssen verstanden, gemerkt und angewandt werden. Neue Aufgaben, neue Erfahrungen stellen sich ein, die Leistungsfähigkeit des kindlichen Gehirns nimmt mit der wachsenden Inanspruchnahme zu. Seine Entwicklung geht immer weiter, und nur auf diese Weise kann es alles Wissen aufbewahren und reproduzieren, das ein Mensch braucht. Dazu aber ist viel Zeit nötig und nicht zuletzt ist deshalb die Kindheit des Menschen so lang.

Ein Schimpansenbaby muss umsorgt, geschützt und belehrt werden.

Wie begann das Leben?

In früheren Zeiten meinten die Menschen, eine Antwort auf die Frage nach der Entstehung des Lebens sei unschwer zu geben. Überall sah man ja, wie kleinere Organismen scheinbar »von selbst« entstanden: die Maden im faulenden Fleisch, Würmer im Schlamm, Ungeziefer im Schmutz und so weiter. Wie schon in einem früheren Kapitel erwähnt, galt es noch um 1600 als »sicher«, dass sich aus Mehl und ungewaschenen Hemden junge Mäuse bilden – man hatte es doch beobachtet!

Erst nach vielfachen Auseinandersetzungen zwischen den Anhängern der sogenannten Urzeugung und ihren Gegnern stand schliesslich fest, dass auch die einfachsten Organismen nur Glieder in einer endlosen Reihe von Generationen sind. »Leben entsteht aus Leben« – dieser Satz der Biologen ist unbestreitbar richtig, aber er lässt eine wichtige Frage offen. Irgendwann einmal muss das Leben auf unserem Planeten ja angefangen haben – wie also sind die allerersten Organismen entstanden?

Die moderne Wissenschaft hat sich die Antwort auf solche Fragen nicht leicht gemacht. Unzählige Fossilien wurden untersucht, die physikalischen und chemischen Voraussetzungen für die Entstehung primitivster Organismen hat man mit aller nur denkbaren Gründlichkeit wieder geprüft. Jetzt haben wir immerhin eine Theorie, die alle bisher festgestellten Tatsachen zu diesem Thema berücksichtigt. Die Theorie ähnelt allerdings einer Geschichte, die nicht zu Ende erzählt wurde. Noch fehlen uns wichtige Angaben, noch ist manches ungeklärt oder mindestens unsicher. Aber je mehr die Forschung vor allem über die Chemie der lebenden Zelle erfährt, desto näher kommen wir der Lösung des grossen Rätsels von der Entstehung des Lebens.

Das »Material«

Die Fossilien beweisen, dass Pflanzen und Tiere umso einfacher gebaut sind, je weiter man in die Vergangenheit der Erde zurückgeht. Vor einigen hundert Millionen Jahren waren alle damals vorhandenen Lebewesen Wasserbewohner. Ihre Vorgänger sind Einzeller gewesen, darüber hinaus gibt es keinerlei »Aufzeichnungen« mehr aus der Geschichte des Lebens. Aber es kann nicht mit der Zelle angefangen haben, mit einem vergleichsweise komplizierten Gebilde also, das so wenig aus lebloser Substanz entstanden ist wie ein Wurm aus Schlamm.

Wesentlicher »Baustoff« der Zelle ist bekanntlich das Protoplasma. In seiner jetzt vorhandenen Form besteht es hauptsächlich aus den vier chemischen Elementen Kohlenstoff, Wasserstoff, Sauerstoff und Stickstoff. Sie machen zusammen 99% des Gesamtgewichts aus. Es war bereits davon die Rede, dass jene Elemente von den Pflanzen aus der Luft und dem Wasser entnommen werden. In der pflanzlichen Zelle bilden sich lange Ketten aus Kohlenstoffatomen. Mit ihnen verbinden sich die Atome anderer Elemente und so entstehen je nach Art des Aufbaus die Moleküle von Eiweiss, Fett und Zucker. Man nennt sie organische Verbindungen, in der Natur finden sie sich nur im lebenden Organismus und dessen Produkten. Die Frage ist nun, ob das immer so gewesen ist.

Bei den Überlegungen, wie das Leben auf unserem

Wasserstoff

Wasserdampf

Ammoniak

Methan

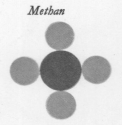

Planeten begonnen haben könnte, muss man auf die frühe Geschichte der chemischen Elemente Kohlenstoff, Wasserstoff, Stickstoff und Sauerstoff zurückgehen. Der russische Chemiker Oparin hat hierzu eine sehr interessante Theorie entwickelt. Sie geht davon aus, dass die ersten organischen Substanzen vor mehreren Milliarden Jahren aus vier Gasen entstanden, die in der Uratmosphäre der Erde enthalten waren. Es handelt sich um Methan, Ammoniak, Wasserstoff und Wasserdampf. Mit diesen Gasen waren die wesentlichen Voraussetzungen für den Aufbau organischer Substanz gegeben. Methan enthält Kohlenstoff, Wasser besteht bekanntlich aus Sauerstoff und Wasser-

Stanley Millers Experiment. Aus einem Gemisch von vier Gasen erhielt Miller Aminosäuren, die Vorstufe der Eiweiss-Stoffe.

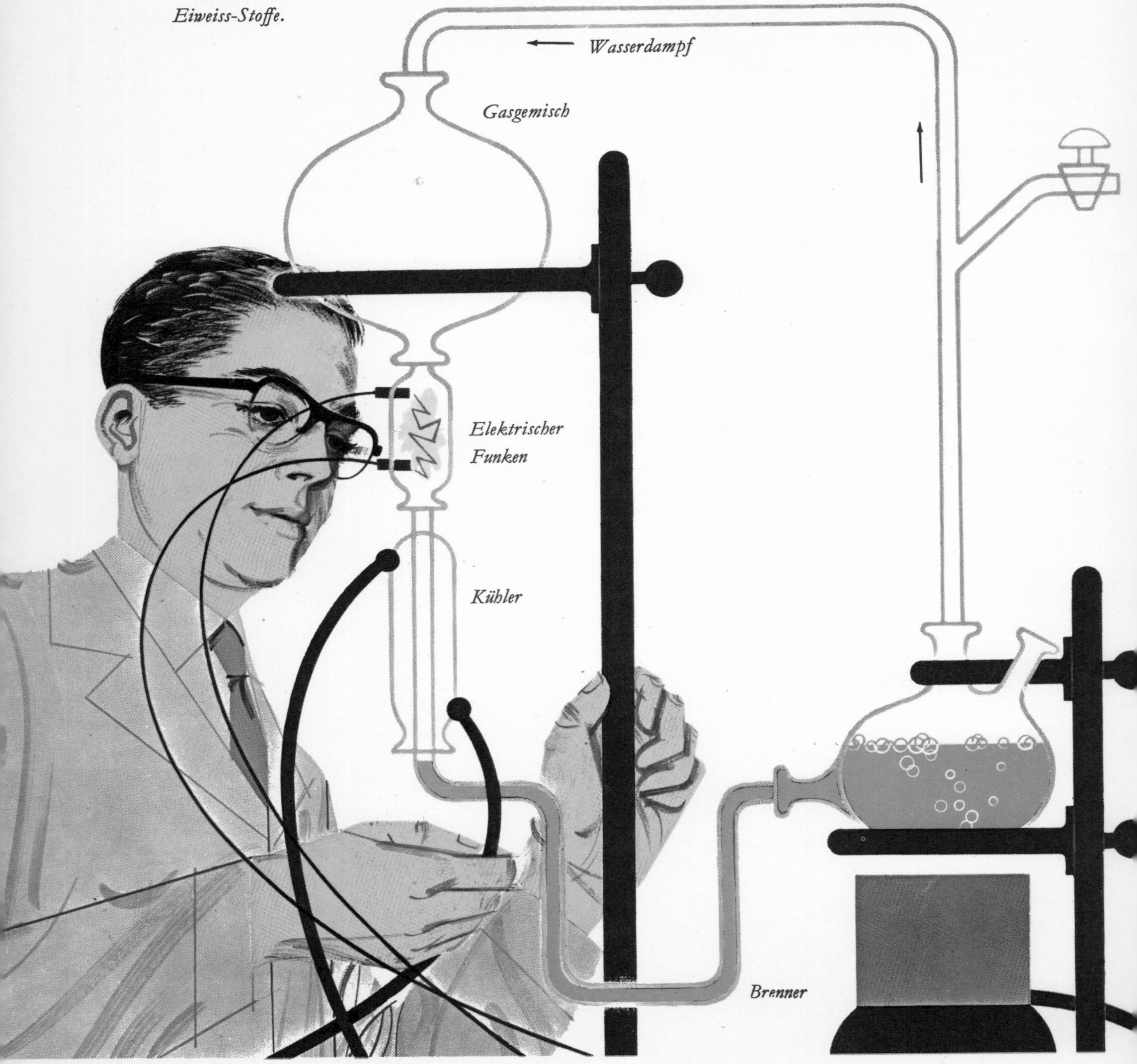

Wasserdampf

Gasgemisch

Elektrischer Funken

Kühler

Brenner

stoff, im Ammoniak ist Stickstoff enthalten.

Der amerikanische Forscher Dr. Harold Urey hat sich mit den Problemen der Lebensentstehung ebenfalls sehr eingehend beschäftigt. Einer seiner Schüler, Stanley Miller, unternahm im Laufe der gemeinsamen Forschungsarbeit sehr aufschlussreiche Experimente zur Prüfung der hier kurz skizzierten theoretischen Annahmen. Seine Versuchsanordnung wurde durch die untenstehende Zeichnung deutlich gemacht. In dieser Apparatur liess Miller elektrische Entladungen auf ein Gasgemisch einwirken, das der vermuteten Zusammensetzung der Uratmosphäre unserer Erde entsprach.

Wenn die Voraussetzungen richtig waren, dann konnten sich bei diesem Experiment die Grundbausteine aller Eiweissverbindungen und damit der lebenden Substanz bilden. Es sind die Aminosäuren, mit denen wir uns bereits beschäftigt haben. Das Ergebnis der Versuche entsprach verblüffend genau den Erwartungen: schon nach einer Woche hatten sich mehrere der sehr kompliziert zusammengesetzten Aminosäuren in der Apparatur gebildet. Derartige Experimente sind inzwischen mehrfach wiederholt worden – die Ergebnisse stimmten genau mit denen Millers überein. Damit war also bewiesen, dass sich die chemischen Bausteine der Eiweisstoffe in einer Atmosphäre von Wasserdampf, Methan, und Ammoniak bilden konnten.

Wie entstand die Erde?

Welchen Grund hat man zur Annahme, dass in den Jugendtagen der Erde eine solche Atmosphäre existierte? Das führt gleich zu der nächsten Frage: Wie ist unser Planet überhaupt entstanden? Die meisten Astronomen nehmen an, dass unser gesamtes Sonnensystem – Zentralgestirn und die es umkreisenden Planeten – vor ungefähr fünf Milliarden Jahren aus einem riesigen Nebel von Gasen und Staub entstanden ist, der durch den Kosmos zog. Nach dieser Theorie führte die Wirkung der Gravitation zu einer Verdichtung der Materie im Innern des Nebels. Infolge des Einströmens der Gase entstand ein riesiger Wirbel etwa so, wie sich vor einem Wasserfall Strudel bilden. Unter der Wirkung der Zentrifugalkraft nahm der Gasnebel die Form einer Scheibe an. Die Materie im Innern des Gebildes wurde zu einem kugelförmigen Gebilde verdichtet. Sie stand unter enormem Druck und wurde so stark erhitzt, dass die Materie schliesslich zu glühen begann. Die Sonne war entstanden.

Während die mächtige Scheibe, in deren Mittelpunkt sich die Sonne drehte, immer flacher wurde, bildeten sich Ansammlungen von Gas und Staub, welche die Sonne umkreisten und sich ihrerseits weiter verdichteten. Aus den neun grössten Gebilden dieser Art sind schliesslich im Laufe unvorstellbar langer Zeiträume die neun Planeten entstanden. Sie umkreisen die Sonne auf verschiedenen Bahnen und in verschiedenen Abständen. Wasserstoff bildete den wichtigsten Bestandteil des grossen Urnebels und war auch der Hauptanteil der Urplaneten. Er konnte sich mit anderen chemischen Elementen verbinden: mit Sauerstoff zu Wasserdampf mit Kohlenstoff zu Methan, mit Stickstoff zu Ammoniak. Bei ensprechend niedrigen Temperaturen konnten Wasserdampf, Methan und Ammoniak in den flüssigen oder festen Zustand übergehen.

Auf der dritten Bahn um die Sonne kreiste ein Gaswirbel, aus dem später unsere Erde entstand. Jener Teil des Wirbels, der dem Zentralgestirn zugewandt war, erwärmte sich, während die andere Seite abgekühlt wurde. Innerhalb des letztgenannten Bereichs bildeten sich Tropfen aus dem Wasserdampf und anderen Gasen, die ihrerseits Staubkörnchen mit Feuchtigkeit überzogen. Wenn solche Körnchen zusammenstiessen, froren sie zusammen, derartige Vorgänge wiederholten sich im immer grösseren Ausmass. Schliesslich konzentrierte sich die Hauptmenge der festen Materie im Inneren des Gasnebels und so entstand ein Planet. In die festen Massen waren flüssige Substanzen und Eis eingeschlossen, die sich am Zusammenfrieren der festen Materie beteiligt hatten. Während sich diese Konzentration von Materie vollzog, waren die gasförmigen Bestandteile der Urplaneten in den Weltraum geschleudert worden. Daher hatte, wenn unsere Vorstellungen über die Entstehung der Erde richtig sind, der »neugeborene« Planet nur eine sehr geringe Atmosphäre. Es gab keine Wolken und damit keinen Regen, die gesamte Oberfläche unseres Heimatplaneten war eine trockene, felsige Wüste.

Atmosphäre und Wasser

Die moderne Wissenschaft nimmt an, dass beim Entstehen der irdischen Atmosphäre und der Meere Vulkane eine grosse Rolle gespielt haben. Durch die Eruptionen kam Lava in flüssiger und zähflüssiger Form aus dem Erdinnern an die Oberfläche. Das geschah mit Hilfe gewaltiger Energien, die infolge der Ausdehnung von Gasen, besonders durch Dampfbildung auftraten. Die Quelle für das Entstehen solcher Dämpfe waren die Wasser-

Die erste Lufthülle unserer Erde ist vermutlich durch vulkanische Gase entstanden.

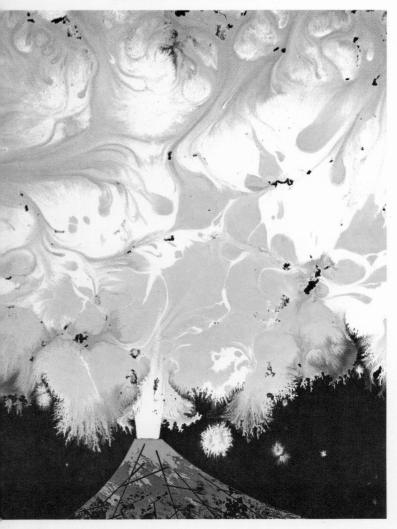

massen, die während der Entstehung der Erdkruste ins Innere der Erde gelangt waren. In der stürmischen Jugendzeit unseres Planeten wurde sein Inneres durch Druck und durch die Energielieferung atomarer Zerfallsprozesse sehr stark erhitzt. In der Tiefe schmolz das Gestein, Wasserdampf und andere Gase wurden frei und infolge des enormen Drucks öffnete sich die Erdkruste an schwachen Stellen. Zahlreiche Vulkane entstanden, bei ihren Eruptionen wurden riesige Wolken aus Dampf und Gesteinsstaub herausgeschleudert. Wasserdampf und andere Gase breiteten sich aus und so entstand die Uratmosphäre.

Die Wasserdämpfe kondensierten sich zu Wassertropfen und unendliche Regengüsse fielen auf das trockene Antlitz der Erde. Immer neue Dampfmassen brachen hervor, daher hielt der Regen an – Jahrmillionen hindurch. Die Fluten strömten von den höher gelegenen Gebieten herab, riesige Bekken verwandelten sich in Meere.

Die Uratmosphäre bestand wahrscheinlich in der Hauptsache aus Wasserdampf, Methan, Ammoniak und Wasserstoff. Sie wurde ununterbrochen von Blitzen zerrissen, ausserdem lieferte die Sonne eine sehr intensive ultraviolette Strahlung. Die so gegebenen Einwirkungen gewaltiger Energien führten wiederum zu chemischen Umsetzungen zwischen jenen Gasen, von denen die Uratmosphäre gebildet wurde.

Ihre Elemente – Kohlenstoff, Wasserstoff, Sauerstoff und Stickstoff – reagierten sehr intensiv miteinander und bildeten die ersten Moleküle organischer Verbindungen. Sie gelangten mit dem Regen ins Meer, reagierten dort weiter miteinander und unter besonders günstigen Verhältnissen entstanden die ersten Moleküle von Aminosäuren.

Das Leben begann im Meer

Wenn jetzt irgendwelches organisches Material sich selbst überlassen bleibt, dann wird es von Fäulnisbakterien usw. zersetzt oder durch die Einwirkung des Luftsauerstoffs oxydiert. Aber in der Jugendzeit der Erde existierten noch keine Mikroorganismen. Falls die Theorie Oparins stimmt, gab es auch keinen freien Sauerstoff. Daher zerfielen organische Substanzen nicht, sondern sammelten sich im Meere an geeigneten Stellen an und konnten miteinander reagieren. Die Kohlenstoffketten verbanden sich miteinander und so entstanden komplizierte Moleküle. Irgendwann einmal dürften dann auch jene Verbindungen entstanden sein, die wir als Ribonucleinsäure und Desoxyribonucleinsäure sowie in den Proteinen vor uns haben.

Die Proteine traten mit anderen Molekülen in Wechselwirkung. Weil die Wassermoleküle das Bestreben haben, gewissermassen einen feinen Film um die Proteine zu bilden, wurden deren Ketten etwas auseinander gehalten. So entstand ein engmaschiges Netzwerk, das schliesslich zur Ausbildung von mikroskopisch kleinen, gallertartigen Tröpfchen führte. An ihrer Oberfläche konnte sich eine Membran bilden, was natürlich die Stabilität eines solchen Gebildes erhöhte. Durch winzige Spalten in der Membran konnten kleinere Moleküle von innen nach aussen wie auch umgekehrt passieren. So kam es zum Austausch zwischen dem Inneren des Eiweisströpfchens und seiner Umgebung.

Das war der Beginn eines rein chemischen Aufbaus organischer Stoffe auf unserem Planeten. Die Entwicklung ging weiter. Unendlich viel Zeit, unendlich viele Experimentierstellen im Wasser und Schlamm: da und dort ergaben sich neue Schritte nach vorwärts. In manchen der eben erwähnten Tröpfchen bildeten sich Eiweisstoffe, die als Enzyme wirken konnten. Dadurch wurden die chemischen Umsetzungen beschleunigt, die Tröpfchen wuchsen rascher, schliesslich riss die Membran – das Gebilde teilte sich und jede Hälfte bildete einen neuen Tropfen. Es ist anzunehmen, dass auf diese Weise erstmals eine »Vermehrung« stattfand, die es vorher noch niemals gegeben hatte. Jene Tröpfchen waren etwas absolut Neues auf dem Planeten Erde – sie bestanden aus lebendem Protoplasma.

Die Trennung in Pflanze und Tier

Nun verlief die Entwicklung rascher. Unzählige Gebilde der geschilderten Art entstanden, bald reichten die im Meere vorhandenen »Rohstoffe«

nicht mehr aus, eine scharfe Auslese begann und nur besonders gelungene Bildungen konnten »überleben« und sich vermehren. Auf vorläufig noch ungeklärte Weise ist irgendwann vor Milliarden Jahren der Übergang vom sich teilenden Materietropfen zur Zelle erfolgt.

Inzwischen hatte die Erde mancherlei Veränderungen erfahren. Die vulkanischen Ausbrüche waren seltener geworden, die Wolkendecke wurde dünner und strahlendes Sonnenlicht lag über dem Meer. Durch Gärungsvorgänge entstand Kohlendioxyd und nun enthielt das Meerwasser grosse Mengen von Kohlensäure. Gewisse Zellen bildeten eine neue und ausserordentlich wichtige chemische Verbindung: das Chlorophyll (Blattgrün). So entstanden die ersten Pflanzen. Sie konnten bei der Assimilation die Energie des Sonnenlichts verwerten; wir haben ja bereits davon gesprochen, dass auf diese Weise die »Urnahrung« für alle Geschöpfe entsteht.

Die Pflanzenwelt nahm rasch zu, daher wurde sehr viel Sauerstoff gebildet und das änderte die Zusammensetzung der Atmosphäre. Ihr Gehalt an Methan und Ammoniak ging zurück, denn die beiden Gase wurden nun oxydiert: Methan zu Kohlendioxyd, Ammoniak zu Stickstoff und Wasser. So wandelte sich die ursprüngliche Atmosphäre um, nunmehr bestand sie hauptsächlich aus Stickstoff, Sauerstoff und Kohlendioxyd.

Das Meer wimmelte von Pflanzen und damit war auch die Ernährungsgrundlage für Tiere gegeben. Sie brauchten Sauerstoff zum Verbrennen der pflanzlichen Nahrung, während sie Kohlendioxyd abgaben, das wiederum von den Pflanzen aufgenommen wurde. Ein Glied dieser Kette passte ins andere und so hat sich in unendlich langen Zeiträumen das Leben von den einfachsten Vorstufen bis herauf zu den Säugetieren und dem Menschen entwickelt.

So ungefähr stellt sich die heutige Wissenschaft die Entstehung und Entwicklung des Lebens auf der Erde vor. Mikroskopisch kleine Urlebewesen standen am Anfang dieser Entwicklung. Sie waren die Vorfahren der beiden grundverschiedenen Typen der Lebewesen, die auf unserem Planeten entstanden sind und das Reich der Pflanzen wie das Reich der Tiere bilden.

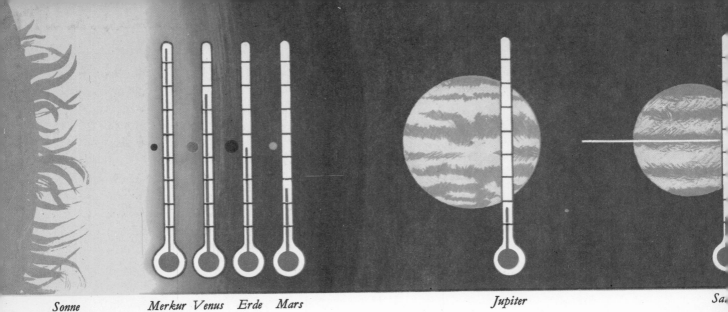

Sonne   *Merkur Venus Erde Mars*   *Jupiter*   *Sa...*

Leben im Weltall?

Wenn wir in einer klaren Nacht zum Sternenhimmel emporschauen, dann beschäftigt sich wohl jeder von uns gelegentlich mit der Frage, ob es in den Tiefen des Weltalls noch andere Planeten gibt, auf denen Pflanzen, Tiere und vielleicht auch menschenähnliche Wesen leben. Solche Probleme sind im Zeitalter der Raumflüge zweifellos »aktueller« geworden als jemals vorher. Es ist durchaus nicht unwahrscheinlich, dass irgendwo in der Unendlichkeit des Raumes denkende Geschöpfe sich ihrerseits mit der Frage beschäftigen, ob wir existieren...

Das Problem der Temperatur

Man weiss heute, dass der Kosmos einheitlich aus den uns bekannten chemischen Elementen aufgebaut ist, wie Meteore und Spektralanalyse zeigen. Man weiss ferner, dass die Naturgesetze der Physik und Chemie überall gelten. So ist anzunehmen, dass auch die Existenz von Lebewesen stets an die grundsätzlich gleichen Voraussetzungen gebunden ist. Lebende Substanz, Protoplasma also, kann nur existieren, wenn genügend Wasser vorhanden ist und die Temperaturen weder zu hoch noch zu tief sind.

An einem gewöhnlichen Thermometer erscheint die Spanne zwischen Siedepunkt und Gefrierpunkt des Wassers ziemlich gross, aber an einem »Weltthermometer« wäre sie winzig klein. Auf den Fixsternen herrschen Temperaturen von vielen Tausend Grad Wärme, während im Weltraum mit Kältegraden in der Nähe des absoluten Nullpunkts – minus 273 Grad – zu rechnen ist. In unserer kosmischen Heimat stehen die grossen Planeten Jupiter, Saturn, Uranus und Neptun der Sonne so fern, dass ihre Oberflächentemperaturen selbst den primitivsten Pflanzen keine Existenz ermöglichen. Der sonnennächste Planet wiederum, Merkur, ist auf seiner der Sonne zugewandten Seite sehr heiss, während auf der anderen Seite ewige Nacht und eisige Kälte herrschen.

Leben auf anderen Planeten

In unserem Sonnensystem bietet offensichtlich nur die Erde wirklich günstige Voraussetzungen für die Entwicklung höheren Lebens. Aber ähnliche Planeten existieren sicherlich in den Tiefen des Weltalls, wo sie andere Sonnen umkreisen. Allein in der Milchstrasse gibt es rund 100 Milliarden Fixsterne – und das Milchstrassensystem ist nur eines unter Millionen und Abermillionen von Weltsystemen der grundsätzlich gleichen Art. Ins-

94